1/11/96

To Helen
with
tons of
love.

Dona

Mit Goethe durch das Jahr

EIN KALENDER FÜR DAS JAHR 1996

ARTEMIS & WINKLER

Diese 48. Folge des Goethekalenders steht unter dem Thema
«Rivalen und Rivalitäten»

Auswahl, Anmerkungen und Quellenverzeichnis
von Effi Biedrzynski

Artemis & Winkler Verlag

Satz: Filmsatz Schröter, München
Druck und Bindung: Friedrich Pustet, Regensburg
Printed in Germany
ISBN 3 7608 4796 X kt.
ISBN 3 7608 4896 6 Ld.

JANUAR

1 Neujahr

Nichts wird rechts und links mich kränken,
Folg ich kühn dem raschen Flug;
Wollte jemand anders denken,
Ist der Weg ja breit genug.

2 Dienstag

Es darf sich einer nur für frei erklären, so fühlt er sich bedingt. Wagt er es sich für bedingt zu erklären, so fühlt er sich frei.

3 Mittwoch

Man sage nicht, daß es der Wirklichkeit an poetischem Interesse fehle; denn eben darin bewährt sich ja der Dichter, daß er geistreich genug sei, einem gewöhnlichen Gegenstande eine interessante Seite abzugewinnen.

4 Donnerstag

Zwei liebende Herzen sind wie zwei Magnetuhren. Was in dem einen sich bewegt, muß auch das andere mit bewegen, denn es ist nur eins, was beide bewegt, eine Kraft, die sie durchgeht.

5 Freitag

Das Esoterische schadet nur, wenn es exoterisch zu werden trachtet.

6 Samstag · Drei Könige

Erlauchte Bettler hab ich gekannt,
Künstler und Philosophen genannt;
Doch wüßte ich niemand, ungeprahlt,
Der seine Zeche besser bezahlt.

7 Sonntag

Freue dich, höchstes Geschöpf der Natur, du fühlest dich fähig, ihr den höchsten Gedanken, zu dem sie schaffend sich aufschwang, nachzudenken.

8 Montag

Weihrauch ist nur ein Tribut für Götter
und für die Sterblichen ein Gift.

9 Dienstag

Die Dankbarkeit können wir in uns durch bloße Gewohnheit erregen, lebendig erhalten, ja zum Bedürfnis machen.

10 Mittwoch

Die Welt ist so leer, wenn man nur Berge, Flüsse und Städte darin denkt, aber hie und da jemand zu wissen, der mit uns übereinstimmt, mit dem wir auch stillschweigend fortleben, das macht uns dieses Erdenrund erst zu einem bewohnten Garten.

11 Donnerstag

Wo man die Liberalität aber suchen muß, das ist in den Gesinnungen, und diese sind das lebendige Gemüt.

12 Freitag

Immer glaubt ich gutmütig, von anderen etwas zu lernen;
Vierzig Jahr war ich alt, da mich der Irrtum verließ.
Töricht war ich immer, daß andre zu lehren ich glaubte;
Lehre jeden du selbst, Schicksal, wie er's bedarf.

13 Samstag

Die Auffassung und Darstellung des Besonderen ist das eigentliche Leben der Kunst.

14 Sonntag

Es kommt darauf an, zu wagen.
Nur halte deinen Willen fest,
Und gehst du auch zugrund zuletzt,
So hats nicht viel zu sagen.

15 Montag

Wenn ich nicht sinnen oder dichten soll,
So ist das Leben mir kein Leben mehr.

16 Dienstag

Überall findet sich etwas zum Freuen, Lernen und Tun.

17 Mittwoch

Was ist denn überhaupt am Leben? Man macht alberne Streiche, beschäftigt sich mit niederträchtigem Zeug, geht dumm aufs Rathaus, klüger herunter, am anderen Morgen noch dümmer hinauf.

18 Donnerstag

Ein Großer kann Freunde haben, aber nicht Freund sein.

19 Freitag

Jeder Mensch muß nach seiner Weise denken; denn er findet auf seinem Wege immer ein Wahres oder eine Art von Wahrem, die ihm durchs Leben hilft. Nur darf er sich nicht gehen lassen, er muß sich kontrollieren; der bloße nackte Instinkt geziemt nicht dem Menschen.

20 Samstag

Die Wahrheit der Verhältnisse bestätigt sich, wenn das Scheinbare unaufhaltsam verfliegt.

21 Sonntag

Viel übrig bleibt zu tun,
Möge nur keiner lässig ruhn!

22 Montag

Älter werden heißt selbst ein neues Geschäft antreten; alle Verhältnisse ändern sich, und man muß entweder zu handeln ganz aufhören oder mit Willen und Bewußtsein das neue Rollenfach übernehmen.

23 Dienstag

Es gibt auch verschlossene Früchte, die erst die rechten kernhaften sind, und die sich früher oder später zu einem schönen Leben entwickeln.

24 Mittwoch

Denn ein äußerlich Zerstreuen,
Das sich in sich selbst zerschellt,
Fordert inneres Erneuern,
Das den Sinn zusammen hält.

25 Donnerstag

Einbildung und Gegenwart verhalten sich wie Poesie und Prosa; jene wird die Gegenstände mächtig und steil denken, diese sich immer in die Fläche verbreiten.

26 Freitag

Wer mit seiner Mutter, der Natur, sich hält,
Findt im Stengelglas wohl eine Welt.

27 Samstag

Nur wenige Tage sind alten Freunden hinreichend, um sich vollkommen wieder zu erkennen und sich über den Bestand der menschlichen Dinge zu freuen.

28 Sonntag

Gib acht, es wird dir allerlei begegnen:
Bist du im Trocknen, wird es regnen.

29 Montag

Bei aller Unvollständigkeit des Literaturwesens finden wir tausendfältige Wiederholung, woraus hervorgeht, wie beschränkt des Menschen Geist und Schicksal ist.

30 Dienstag

Schöpft des Dichters reine Hand,
Wasser wird sich ballen.

31 Mittwoch

Niemals hört man mehr von Freiheit reden, als wenn eine Partei die andere unterjochen will.

Rückblick auf Frankfurt · Zeichnung von A. Radl · 1816

I. AUFBRUCH

AN SCHWAGER KRONOS

In der Postchaise den 10. Oktober 1774

Spude dich, Kronos!
Fort den rasselnden Trott!
Bergab gleitet der Weg;
Ekles Schwindeln zögert
Mir vor die Stirne dein Haudern.
Frisch den holpernden
Stock Wurzeln Steine den Trott
Rasch in's Leben hinein!

Nun schon wieder
Den eratmenden Schritt
Mühsam Berg hinauf.
Auf denn, nicht träge denn!
Strebend und hoffend an.

Seitwärts des Überdachs Schatten
Zieht dich an
Und der Frischung verheißende Blick
Auf der Schwelle des Mädchens da. –
Labe dich! – Mir auch, Mädchen,
Diesen schäumenden Trunk
Und den freundlichen Gesundheitsblick!

Ab dann, frischer hinab!
Sieh, die Sonne sinkt.
Eh' sie sinkt, eh' mich faßt
Greisen im Moore Nebelduft,
Entzahnte Kiefer schnattern
Und das schlockernde Gebein –

Trunknen vom letzten Strahl
Reiß mich, ein Feuermeer
Mir im schäumenden Aug',
Mich Geblendeten, Taumelnden
In der Hölle nächtliches Tor!

Töne, Schwager, dein Horn,
Raßle den schallenden Trab,
Daß der Orkus vernehme, ein Fürst kommt,
Drunten von ihren Sitzen
Sich die Gewaltigen lüften.

Im August 1771 war Goethe, nicht promoviert, wie der Vater wünschte, doch immerhin als ein Lizentiat der Rechte, aus Straßburg ins heimische Frankfurt zurückgekehrt. Fünf Jahre später, am 3. November 1775, brach er nach Weimar auf.
Eine Periode höchster Produktivität lag vor ihm. Keinen Augenblick verließ ihn in diesen Jahren, wie er in «Dichtung und Wahrheit» gesteht, sein produktives Talent, das er als sicherste Basis seiner Existenz, als Bestätigung möglicher Selbständigkeit empfand. – Gewöhnlich habe er, berichtet er weiter, zur frühsten Tageszeit geschrieben. Aber auch abends, ja tief in der Nacht, wenn Wein und Geselligkeit die Lebensgeister erhöhten, konnte man von ihm fordern, was man wollte. «Es kam nur auf eine Gelegenheit an, die einigen Charakter hatte, so war ich bereit und fertig.» – Kaum bedrängt durch Pflichten, die ihm die eben erst installierte Advokatur auferlegt hätte, die aber der Vater nur zu gern übernahm, gab er sich, ungehemmt, dem grenzenlosen Strom der Bilder, Gefühle und Gedanken hin.

Erschreckend ist die Labilität seines Wesens, bestürzend die Sprunghaftigkeit des Produzierens, verwirrend die Vielfalt, hinreißend aber die Vitalität, die «innere Leuchtkraft» vieler seiner frühen Arbeiten. Deren Liste ist lang; sie sind ungleich nach Gattung und Gewicht. Hymnen, Oden stehen weit ausgreifend neben subtilen Liebesgedichten für Lili Schönemann; Programmschriften, leidenschaftliche Bezeugungen eines titanischen Weltgefühls wie die Rede «Zum Schäkspears Tag» oder die Prosa-Dithyrambe «Von deutscher Baukunst» wechseln, feurig-frech, mit Possen, Parodien, Persiflagen, wechseln mit zierlich-hübschen Singspielen, mit Übersetzungen, frommen Traktaten und Rezensionen. – Auf Drängen Cornelias, der Schwester, schreibt er im Herbst 1771 in sechs Wochen eine erste Fassung des «Götz von Berlichingen» nieder; im April 1774 vollendet er die «Leiden des jungen Werthers», im Mai in acht Tagen «Clavigo». Er konzipiert «Egmont» und «Stella». Mit dem «Urfaust» gewinnen Faust und Mephisto Kontur: Figuren, die sich mit dem Dichter wandeln und verwandeln und ihn bis an sein Lebensende begleiten… Der «Götz», 1773, Mitte Juni, in eigener Regie verlegt und am 14. April 1774 in Berlin uraufgeführt, löste Stürme der Begeisterung aus. – «Die Leiden des jungen Werthers» aber, im gleichen Jahr zur Michaelis-Messe zu Leipzig erschienen, bringen den Ruhm. Alle Welt drängt herbei, das Originalgenie zu sehen und in seiner Nähe stürmisch volle Tage zu verbringen. Obenan Klopstock, der Hochberühmte, gleichsam mit seiner Person den atemberaubenden Aufstieg des Nachfolgers besiegelnd. Artig, sich der Ehre bewußt, zugleich aber auch leichthin amüsiert vom

Friederike Bethmann-Unzelmann als Adelheid mit Franz in «Götz von Berlichingen» · Bleistiftzeichnung von Henschel

hochstilisierten Air dieses «Stellvertreters der Religion, Sittlichkeit und Freiheit», begleitet der junge Dichter den Gefeiert-Feierlichen auf der Weiterfahrt bis nach Darmstadt. – Selbstbewußt aber endet er, die eigene

Prometheus · Lavierte Federzeichnung von J. W. Goethe, um 1810

Lebensbahn bedenkend, während der Rückfahrt, in der Postchaise, sein Lied an Kronos stürmisch mit dem Befehl:

«Töne, Schwager, dein Horn,
Raßle den schallenden Trab,
Daß der Orkus vernehme,
Ein Fürst kommt,
Drunten in ihren Sitzen
Sich die Gewaltigen lüften.»

O dass die innre Schöpfungskrafft
Durch meinen Sinn erschölle
Dass eine Bildung voller Safft
Aus meinen Fingern quölle!
Ich zittre nur ich stottre nur
Ich kann es doch nicht lassen
Ich fühl, ich kenne dich Natur
Und so muss ich dich fassen.
Wenn ich bedenck wie manches Jahr
Sich schon mein Sinn erschliesset
Wie er wo dürre Haide war
Jetzt Freudenquell geniesset
Da ahnd' ich ganz Natur nach dir
Dich frey und lieb zu fühlen
Ein lustger Springbrunn wirst du mir
Aus tausend Röhren spielen
Wirst alle deine Kräffte mir
In meinem Sinn erheitern
Und dieses enge Daseyn hier
Zur Ewigkeit erweitern.

An Lavater, Anfang Dezember 1774

Goethe an Sophie v. La Roche, 19.9.1774 – Donerstag früh geht, eben erschienen, ein Exemplar «Werther» an Sie ab. Wenn Sie und die Ihrigen es gelesen, schicken Sie's weiter an Fritz Jacobi, ich hab nur drey Exemplare und muß also diese zirkulieren lassen...
Goethe an Kestner, 23.9. – Habt ihr das Buch schon? Die Messe tobt und kreischt, meine Freunde sind hier, und Vergangenheit und Zukunft schweben wunderbar ineinander. Was wird aus mir werden? – O ihr gemachten Leute, wieviel besser seyd ihr dran...
An Sophie v. La Roche, 21.10. – Ich lag zeither, stumm, in mich gekehrt und ahndete in meiner Seele auf und nieder, ob ich einen Fels fände, drauf eine Burg zu bauen, wohin ich im letzten Notfall mich mit meiner Habe flüchtete.
Am 23. Dezember – Buchhändler Reichs Brief ist gut. 1 Carolin für den gedruckten Bogen könnt er wohl buchhändlerisch geben. Ich mag garnicht daran denken, was man für seine Sachen kriegt. Mir hat meine Autorschaft die Suppen noch nicht fett gemacht. Zu einer Zeit, da sich ein so großes Publikum mit «Berlichingen» beschäftigte, und ich soviel Lob und Zufriedenheit von allen Enden einnahm, sah ich mich genötigt, Geld zu borgen, um das Papier zu bezahlen, worauf ich ihn hatte drucken lassen!
An Johanna Fahlmer, April 1775 – Hier ist «Prometheus» – Noch gehts mit mir den Strom gefällig hinab – helfe auch wohl mit dem Ruder nach...
An Merck, 8.8. – Ich bin wieder scheißig gestrandet, und

(Fortsetzung S.22)

1 Donnerstag

Es möchte niemand mehr gehorchen, wären aber alle gerne gut bedient.

2 Freitag

Dies Herrliche hat die Wahrheitsliebe, daß sie uns Blick und Brust öffnet und uns ermutigt, auch in dem Felde, wo wir zu wirken haben, auf gleiche Weise umherzuschauen und zu erneutem Glauben frischen Atem zu schöpfen.

3 Samstag

Man weiß eigentlich das, was man weiß, nur für sich selbst.

Visitenkarten, geheftet

4 Sonntag

Der Mensch ist als wirklich in die Mitte einer wirklichen Welt gesetzt und mit solchen Organen begabt, daß er das Wirkliche und nebenbei das Mögliche erkennen und hervorbringen kann.

5 Montag

Wer kann eine wahre Neigung empfinden, wer kann das Glück der Liebe genießen oder hoffen, ohne daß er dieses höchste Glück einem jeden Freund, einem jeden gönnte, der ihm wert ist!

6 Dienstag

Verständige Leute kannst du irren sehn,
In Sachen nämlich, die sie nicht verstehn.

7 Mittwoch

Man hat Gewalt, so hat man Recht.
Man fragt ums Was und nicht ums Wie!

8 Donnerstag

So schließt sich die schönste Fähigkeit unvermutet zur Fertigkeit auf: wie eine Rosenknospe, an der wir noch abends unbeachtend vorübergingen, morgens mit Sonnenaufgang vor unsern Augen hervorbricht.

9 Freitag

Nie war Natur und ihr lebendiges Fließen
Auf Tag und Nacht und Stunden angewiesen.

10 Samstag

In den Wissenschaften ist viel Gewisses, sobald man sich von den Ausnahmen nicht irre machen läßt und die Probleme zu ehren weiß.

11 Sonntag

Prüft das Geschick dich, weiß es wohl warum:
Es wünschte dich enthaltsam. Folge stumm.

12 Montag

Mit Recht nennt man die physikalischen Wissenschaften die exakten, weil man die Irrtümer darin klar nachweisen kann. Im Ästhetischen, wo alles vom Gefühl abhängt, ist das freilich nicht möglich.

13 Dienstag

Obgleich die Natur einen bestimmten Etat hat, von dem sie zweckmäßig ihre Ausgaben bestreitet, so geht die Einnahme doch nicht so genau in der Ausgabe auf, daß nicht etwas übrig bliebe, welches sie gleichsam zur Zierde verwendet.

14 Mittwoch

In jeder Anlage liegt auch allein die Kraft sich zu vollenden; das verstehen so wenige Menschen, die doch lehren und wirken wollen.

15 Donnerstag

Oft ist es nicht die Sache, die uns erbaut, sondern die Lage des Herzens, worin sie uns überrascht, ist das, was einer Kleinigkeit den Wert gibt.

16 Freitag

Es ist nicht gut, daß ein junger Mensch nicht weiß, was er mit der Zeit anfangen solle. Leider ist das aber sehr häufig der Fall.

17 Samstag

Reines Anschauen des Äußern und Innern ist sehr selten.

18 Sonntag

Du willst nach deiner Art bestehn,
Mußt selbst auf deinen Nutzen sehn.

19 Rosenmontag

Ich kann mich nicht bereden lassen,
Macht mir den Teufel nur nicht klein:
Ein Kerl, den alle Menschen hassen,
Der muß was sein!

20 Fastnacht

Kommt her! wir setzen uns zu Tisch;
Wen möchte solche Narrheit rühren!
Die Welt geht auseinander wie ein fauler Fisch,
Wir wollen sie nicht balsamieren.

21 Aschermittwoch

Die Welt ist voll Torheit, Dumpfheit, Inkonsequenz und Ungerechtigkeit; es gehört viel Mut dazu, diesen nicht das Feld zu räumen und sich beiseite zu begeben.

22 Donnerstag

Das Schicksal sorgt für die Liebe, und um so gewisser, da Liebe genügsam ist.

23 Freitag

Die Kunst stellt eigentlich nur Begriffe dar, aber die Art, wie sie darstellt, ist ein Begreifen, ein Zusammenfassen des Gemeinsamen und Charakteristischen, das heißt der Stil.

24 Samstag

Wohl ist alles in der Natur Wechsel, aber hinter dem Wechselnden ruht ein Ewiges.

25 Sonntag

Doch, ach, den sterblichen Menschen
Lässet die Sorge nicht los, eh' ihn das Leben verläßt.
Soll es denn einmal sein, so kommt ihr, Sorgen der Liebe!
Treibt die Geschwister hinaus; nehmt und behauptet mein Herz!

26 Montag

Vor dem Gewitter erhebt sich zum letzten Male der Staub gewaltsam, der nun bald für lange getilgt sein soll.

27 Dienstag

Weil die Denkkraft beim Schönen nicht mehr fragen kann, warum es schön sei, ist es schön.

28 Mittwoch

Das Talent entwickelt im Praktischen alles und braucht von den theoretischen Einzelheiten nicht Notiz zu nehmen: der Musikus kann ohne seinen Schaden den Bildhauer ignorieren und umgekehrt.

29 Donnerstag

Denke nur aber niemand einer Sache, die unter der Herrschaft eines bösen Geschicks liegt, auf irgendeine Weise zu Hülfe zu kommen: denn wenn er sie auch aus einem offenbaren Übel errettet, so wird sie doch in ein viel schlimmeres fallen.

möchte mir tausend Ohrfeigen geben, daß ich nicht zum Teufel ging, da ich flott war. Ich passe wieder auf eine neue Gelegenheit abzudrücken: nur möcht ich wissen, ob du mir im Fall mit einigem Geld beistehen wolltest. Nur zum ersten Stoß.
Zu Ende dieses Jahres muß ich fort. Daur' es kaum bis dahin, auf diesem Bassin herum zu gondolieren, und auf die Frösch- und Spinnenjagd mit großer Feyerlichkeit auszuziehen...

Beinahe sofort war klar: «Die Leiden des jungen Werthers» waren ein Erfolg! Ein überraschender, ein spektakulärer Erfolg, vielleicht sogar, wie Walter Benjamin nachdenklich meint, «der größte literarische Erfolg aller Zeiten». – Wie ein Fieber, eine Epidemie breiten sich, weit über die deutschen Grenzen, Werthermode, Wertherbegeisterung, Werthersehnsüchte aus. – Auflage jagt Auflage; Raubdrucke, dieses sicherste Indiz des Erfolgs (bis 1787 etwa zwei Dutzend!), beschleunigen und intensivieren diesen Erfolg, rauben aber auch Dichter und Verlag jeden nennenswerten materiellen Gewinn. – Übersetzungen, mehr als ein halbes Hundert, signalisieren Weltgeltung, Weltruhm. In Pamphlet und Karikatur, in Parodie und dichterischer Nachahmung schlägt sich das Pro und Contra, schlägt sich Zustimmung und erbitterte Ablehnung nieder. – Zu Leipzig verbietet ein «wohlweiser Rat», in Wien und Kopenhagen die theologischen Fakultäten und Magistrate die Lektüre; Mailands amtierender Bischof kauft die gesamte italienische Ausgabe des gefährlichen Buches auf, das auch dem Hamburger Kanonikus Ziegra als «verfluchungswürdige Schrift und Lockspeise des Satans» gilt! – Für Gerstenberg aber und für Gottfried

August Bürger, Männer von großer literarischer Geltung, ist der Autor, gerade noch ein junger Advokat ohne Namen und Gewicht, der «deutsche Shakespear», und Jakob Wilhelm Heinse schreibt im Oktober 1774, daß er in der ganzen gelehrten Geschichte keinen Menschen kenne, der in solcher Jugend so rund und voll von eigenem Genie gewesen wäre wie er.

Goethe aber, kaum geblendet von frühem Ruhm, sah mit wachsendem Unbehagen, daß er trotz furioser Produktivität, aus überbordender Subjektivität gespeist, «Talent und Tage vergeudete». Nüchtern erkannte er die Gefahren, die sich in diesem «nachtwandlerischen Dichten» verbargen. Im Frühjahr 1775 gesteht er Knebel, er falle «aus einer Verworrenheit in die andere», und wenige Wochen später schreibt er Bürger, daß die letzten drei Vierteljahre zu den «zerstreutesten, verworrensten, ganzesten, vollsten, leersten, kräftigsten und läppischsten gehörten, die er in seinem ganzen Leben gehabt habe».

Ihm war klar, er mußte fort. Fort aus dem «Gewürge»; er mußte die Stelle finden, wo sein Herz nicht immer «auf den Wogen der Einbildungskraft und überspannten Sinnlichkeit, Himmel auf und Höllen ab, getrieben wurde», er mußte die Stelle finden, wo sein «zweck- und planloses Leben und Handeln» ein Ziel, eine Aufgabe fand, jenseits seiner Person und strenge Objektivität fordernd.

Das Billett Jerusalems vom 29. 10. 1772 an Kestner, das Goethe in den «Werther» übernahm.

Aus «Dichtung und Wahrheit», 15. Buch – Als ich so beschäftigt, bei gesperrtem Lichte, in meinem Zimmer saß, dem wenigstens der Anschein einer Künstlerwerkstatt hierdurch verliehen war, überdies auch die Wände, mit halbfertigen Arbeiten besteckt und behangen, das Vorurteil einer großen Tätigkeit gaben; trat ein wohlgebildeter schlanker Mann bei mir ein. An seinem freien anständigen Betragen war eine gewisse militärische Haltung nicht zu verkennen. Er nannte mir seinen Namen von Knebel, und zu meinem Vergnügen erfuhr ich, daß er in Weimar angestellt und zwar dem Prinzen Konstantin zum Begleiter bestimmt sei. Von den dortigen Verhältnissen hatte ich schon manches Günstige vernommen und wie ich mich nun, gleichsam als ein alter Bekannter, nach Personen und Gegenständen erkundigte und den Wunsch äußerte, mit den dortigen Verhältnissen näher bekannt zu sein, so versetzte der Ankömmling gar freundlich; es sei nichts leichter als dieses, denn soeben lange der Weimarische Erbprinz mit seinem Bruder in Frankfurt an, welche mich zu sprechen und zu kennen wünschten.

Ich zeigte sogleich die größte Bereitwilligkeit, ihnen aufzuwarten, und der neue Freund versetzte, daß ich damit nicht säumen sollte, weil der Aufenthalt der Prinzen in Frankfurt nicht lange dauern werde. Um mich hiezu anzuschicken, führte ich Knebel zu meinen Eltern, die, über seine Ankunft und Botschaft höchst verwundert, mit ihm sich ganz vergnüglich unterhielten. Hierauf eilte ich mit demselben zu den jungen Fürsten, die mich freundlich empfingen…

Auf dem Tische lagen, frisch geheftet und unaufge-

Carl Ludwig von Knebel · Rötelzeichnung von Goethe, 1776/77

schnitten, Mösers «Patriotische Phantasien». Da ich sie nun sehr gut, die Gesellschaft sie aber wenig kannte, fand sich der schickliche Anlaß zu einem Gespräch mit einem jungen Fürsten, der den besten Willen und den festen Vorsatz hatte, an seiner Stelle entschieden Gutes zu wirken. Bei Tafel wurden diese Gespräche fortgesetzt, und sie erregten für mich ein besseres Vorurteil, als ich vielleicht verdiente. Denn anstatt daß ich Arbeiten, die ich selbst zu liefern vermochte, zum Gegenstand des Gesprächs gemacht, etwa für Schauspiel oder Roman eine ungeteilte Aufmerksamkeit gefordert hätte, schien ich vielmehr mit Möser solche Schriftsteller vorzuziehen, deren Talent vom tätigen Leben ausging und in dasselbe unmittelbar nützlich sogleich wieder zurückkehrte, während eigentliche poetische Arbeiten, die über dem Sittlichen und Sinnlichen schweben, erst durch einen Umschweif und gleichsam nur zufällig nutzen können. Bei diesen Gesprächen ging es nun wie bei den Märchen der «Tausendundeinen Nacht»: es schob sich eine bedeutende Materie in und über die andere, manches Thema klang nur an, ohne daß man es hätte verfolgen können; und so ward, weil der Aufenthalt der jungen Herrschaften in Frankfurt nur kurz sein konnte, mir das Versprechen abgenommen, daß ich nach Mainz folgen und dort einige Tage zubringen sollte, welches ich denn herzlich gern ablegte und mit dieser vergnügten Nachricht nach Hause eilte, um solche meinen Eltern mitzuteilen.

Geh! gehorche meinen Winken,
Nutze deine jungen Tage,
Lerne zeitig klüger sein:
Auf des Glückes großer Waage
Steht die Zunge selten ein;
Du mußt steigen oder sinken,
Du mußt herrschen und gewinnen,
Oder dienen und verlieren,
Leiden oder triumphieren,
Amboß oder Hammer sein.

Kophtisches Lied

Meinem Vater wollte jedoch mein Plan, den Weimarer Fürsten in Mainz aufzuwarten, keineswegs gefallen: denn nach seinen reichsbürgerlichen Gesinnungen hatte er sich jederzeit von den Großen entfernt gehalten, und obgleich mit den Geschäftsträgern der umliegenden Fürsten und Herren in Verbindung, stand er doch keineswegs in persönlichen Verhältnissen zu ihnen; ja es gehörten die Höfe unter die Gegenstände, worüber er zu scherzen pflegte, auch wohl gern sah, wenn man ihm etwas entgegensetzte, nur mußte man sich dabei, nach seinem Bedünken, geistreich und witzig verhalten. Hatten wir ihm das Procul a Jove procul a fulmine gelten lassen, doch aber gemerkt, daß beim Blitze nicht sowohl vom Woher als vom Wohin die Rede sei; so brachte er das alte Sprüchlein, mit großen Herren sei Kirschenessen nicht gut, auf die Bahn. Wir erwiderten, es sei noch schlimmer, mit genäschigen Leuten aus einem Korbe speisen. Das wollte er nicht leugnen, hatte aber schnell einen anderen Spruchreim zur Hand, der uns in Verlegenheit setzen sollte. Denn da Sprüchworte und Denkreime vom Volke ausgehn, welches, weil es gehorchen muß, doch wenigstens gern reden mag, die Oberen dagegen durch die Tat sich zu entschädigen wissen; da ferner die Poesie des sechzehnten Jahrhunderts fast durchaus kräftig didaktisch ist: so kann es in unserer Sprache an Ernst und Scherz nicht fehlen, den man von unten nach oben hinauf ausgeübt hat. Und so übten wir Jüngeren uns nun auch von oben herunter, indem wir, uns was Großes einbildend, auch die Partei der Großen zu nehmen beliebten.

Durch alle solche Erwiderungen ließ sich jedoch mein

Vater von seinen Gesinnungen nicht abwendig machen. Er pflegte gewöhnlich sein stärkstes Argument bis zum Schlusse der Unterhaltung aufzusparen, da er denn Voltaires Abenteuer mit Friedrich dem Zweiten umständlich ausmalte: wie die übergroße Gunst, die Familiarität, die wechselseitigen Verbindlichkeiten auf einmal aufgehoben und verschwunden, und wir das Schauspiel erlebt, daß jener außerordentliche Dichter und Schriftsteller, durch Frankfurter Stadtsoldaten, auf Ersuchen des preußischen Residenten und nach Befehl des Burgemeisters von Fichard, arretiert und eine ziemliche Zeit im Gasthof Zur Rose auf der Zeil gefänglich angehalten worden. – Hierauf hätte sich zwar manches einwenden lassen, unter andern, daß Voltaire nicht ohne Schuld gewesen; aber wir gaben uns aus kindlicher Achtung jedesmal gefangen.

In Wahrheit aber ließ Goethe sich nicht beirren. – «Götz» und «Werther», für ihn Erfolg und trostloses finanzielles Debakel in einem, hatten ihn drastisch belehrt, daß in dem zerstückten Imperium des Alten Deutschen Reichs, wo, wie Siegfried Unseld mit aller Schärfe (in: «Goethe und seine Verleger») nachweist, ein gültiges Urheberrecht weder zu formulieren noch durchzusetzen war, der Schriftsteller nicht hoffen durfte, seine Existenz auf eigene schriftstellerische Arbeit zu gründen.
Anders als in England! Dort konnte ein Autor wie Oliver Goldsmith, der Verfasser des «Vicar of Wakefield», um 1760 lässig erklären, er und seine halbwegs erfolgreichen Kollegen seien keineswegs mehr, wie in

(Fortsetzung S. 35)

1 Freitag

Und so haltet, liebe Söhne,
Einzig euch auf eurem Stand:
Denn das Gute, Liebe, Schöne,
Leben ists dem Lebens-Band.

2 Samstag

Die Kunst ist ein ernsthaftes Geschäft, am ernsthaftesten, wenn sie sich mit edlen heiligen Gegenständen beschäftigt. Der Künstler aber steht über der Kunst und dem Gegenstand. Über jener, da er sie zu seinen Zwecken braucht, über diesem, weil er ihn nach eigner Weise behandelt.

Vigore Comissionis wird denen sämtlichen

Sigl. Leipzig, den 30. Januar: 1775.

Churfürstl: Sächß: Bücher Comissarii allhier

Der Rat der Stadt Leipzig verbietet den Verkauf des «Werther», 30. Januar 1775

3 Sonntag

Man ist nur eigentlich lebendig, wenn man sich des Wohlwollens andrer freut.

4 Montag

Es kann wohl sein, daß der Mensch durch öffentliches und häusliches Geschick zuzeiten gräßlich gedroschen wird; allein das rücksichtslose Schicksal, wenn es die reichen Garben trifft, zerknittert nur das Stroh, die Körner aber spüren nichts davon und springen lustig auf der Tenne hin und wieder, unbekümmert, ob sie zur Mühle, ob sie zum Saatfeld wandern.

5 Dienstag

Aber Schweigen bringt Fülle reicheren Vertrauns zurück.

6 Mittwoch

Alle Gesetze sind Versuche, sich den Absichten der moralischen Weltordnung im Welt- und Lebenslaufe zu nähern.

7 Donnerstag

«Wie hast du's denn so weit gebracht?
Sie sagen, du habest es gut vollbracht!»
Mein Kind! ich hab es klug gemacht,
Ich habe nie über das Denken gedacht.

8 Freitag

Gehen wir in die Geschichte zurück, so finden wir überall Persönlichkeiten, mit denen wir uns vertrügen, andere, mit denen wir uns gewiß im Widerstreit befänden.

9 Samstag

Fürchterlich ist einer, der nichts zu verlieren hat.

10 Sonntag

Treues Wirken, reines Lieben ist das Beste stets geblieben.

11 Montag

Jeder schätzt gewisse Eigenschaften an sich und andern, und nur die begünstigt er, nur die will er ausgebildet wissen.

12 Dienstag

Das Bild der Geliebten kann nicht alt werden; denn jeder Moment ist seine Geburtsstunde.

13 Mittwoch

Die Welt ist eng, und nicht jeder Boden trägt jeden Baum, der Menschen Wesen ist kümmerlich, und man ist beschämt, wie man vor so vielen Tausenden begünstigt ist.

14 Donnerstag

Es kommt nicht darauf an, daß die Freunde zusammenkommen, sondern darauf, daß sie übereinstimmen.

15 Freitag

Und ich seh nicht, was es frommt,
Aus der Welt zu laufen,
Magst du, wenn's zum Schlimmsten kommt,
Auch einmal dich raufen.

16 Samstag

Man bedenke, daß man es immer mit unauflöslichen Problemen zu tun hat, und erweise sich frisch und treu, alles zu beachten, am meisten, was uns widerstrebt; denn dadurch wird man das Problematische gewahr, welches zwar in den Gegenständen selbst, mehr aber noch in den Menschen liegt.

17 Sonntag

Laß nur die Sorge sein,
Das gibt sich alles schon;
Und fällt der Himmel ein,
Kommt doch eine Lerche davon.

18 Montag

Der Gang unserer Kultur führt zu allen gesellschaftlichen Tugenden, wo man nachgibt, gefällig ist, selbst mit Aufopferung der Gefühle, ja der Rechte, die man im rohen Naturzustande haben kann.

19 Dienstag

So traurig, daß in Kriegestagen
Zu Tode sich die Männer schlagen,
Im Frieden ist's dieselbe Not:
Die Weiber schlagen mit Zungen tot.

20 Mittwoch

Man kann das Gegenwärtige nicht ohne das Vergangene erkennen und die Vergleichung von beiden erfordert Zeit und Ruhe.

21 Donnerstag · Frühlingsanfang

Mein Erbteil, wie herrlich, weit und breit!
Die Zeit ist mein Besitz, mein Acker ist die Zeit.

22 Freitag · Goethes Todestag (1832)

Ich habe mir mit Müh und Fleiß
Gefunden, was ich suchte.

23 Samstag

Das Zugreifen ist der natürlichste Trieb der Menschheit.

24 Sonntag

Das Schicksal ist ein vornehmer, aber teurer Hofmeister.

25 Montag

Die Alten hatten nicht allein große Intentionen, sondern es kam bei ihnen auch zur Erscheinung. Dagegen haben wir Neueren auch wohl große Intentionen, allein wir sind selten fähig, es so kräftig und lebensfrisch hervorzubringen, als wir es uns dachten.

26 Dienstag

Die Gelehrten sind meist gehässig, wenn sie widerlegen; einen Irrenden sehen sie gleich als Todfeind an.

27 Mittwoch

Zustand ist ein albernes Wort; weil nichts steht und alles beweglich ist.

28 Donnerstag

Und das grobe Selbstempfinden
Haben Leute arg gescholten,
Die am wenigsten verwinden,
Wenn die andern was gegolten.

29 Freitag

Dem Menschen fällt mehr auf, was ihm fehlt, als das, was er besitzt. Er bemerkt mehr was ihn ängstigt, als das, was ihn ergötzt und seine Seele erweitert.

30 Samstag

Wenn ein großer Mensch ein dunkel Eck hat, dann ists recht dunkel.

31 Palmsonntag

Der alte Winter, in seiner Schwäche,
Zog sich in rauhe Berge zurück.
Von dorther sendet er, fliehend, nur
Ohnmächtige Schauer körnigen Eises
In Streifen über die grünende Flur;
Aber die Sonne duldet kein Weißes:
Überall regt sich Bildung und Streben,
Alles will sich mit Farben beleben…

Cornelia Goethe · Rötelzeichnung von Joh. Ludwig Ernst Morgenstern, um 1772

früheren Zeiten, auf mäzenatische Unterstützung angewiesen. Ihnen sei die Öffentlichkeit, das heißt das lesehungrige, lesefreudige Publikum, Mäzen genug, erweise sich sogar, da seit langem die Resultate ihrer Arbeit urheberrechtlich geschützt seien, oft als «guter und freigebiger Mäzen». – Goldsmith verfügte, obwohl sein Aufstieg schwierig war, jährlich über mehr als 1800 Pfund; Arthur Young, ein Journalist, rechnete mit 1100 Pfund, und nach der Jahrhundertwende durften Lord Byron oder Walter Scott für Versepen wie «Childe Harold» oder «The Lady of the Lake» Honorare von mehreren tausend Pfund erwarten. – Die deutschen Dichter dagegen, selbst ein Klopstock, Wieland oder Lessing, hochbegabt und von der liebenden Verehrung ihrer «Gemeinden» getragen und gelesen, bedurften dennoch, da ihnen Raubdrucker allerorten den Ertrag ihrer Arbeit unter den Händen wegstahlen, des oft nur mühsam aufgespürten und mühsam errungenen «Gnadenbeweises». Klopstocks Existenz basierte auf einer Königlich-Dänischen Pension, durch Graf Bernstorff, den «Mecklenburger Aristokraten aus Hannover und überaus tüchtigen Außenminister in dänischen Diensten» erwirkt; Wieland, der sich wie Lessing entschieden lieber als freier Schriftsteller etabliert hätte, ging als Prinzen-Erzieher nach Weimar, Lessing als Bibliothekar nach Wolfenbüttel.

Das war, illusionslos gesehen, die Situation. Goethe, bei aller genialischen Erhobenheit, dennoch fähig zu Mephistos sarkastischer Frage: «und wenn er keinen Hintern hat, wie mag der Edle sitzen?», zog für sich die Konsequenz. Weimar, durch Anna Amalias Neigung zu Kunst und Wissenschaft, bereits im Ruf, ein

«Musensitz» zu sein, schien ihm ein Wink, eine Möglichkeit, eine Chance, wert ihr nachzugehen. Trotz des Vaters Widerstand, trotz dessen Warnung vor Gunst und Ungunst der Höfe, suchte er, zwei Tage nach der ersten Begegnung im heimischen Frankfurt, Carl August, den Weimarischen Erbprinzen, in Mainz auf. Er setzte in einem Klima jugendlicher Kameraderie und spontan erwachter Sympathie, anhand von Justus Mösers «Patriotischen Phantasien», das Gespräch über Sitten, Gesetze, Regierungsformen in Kleinstaaten wie Weimar fort; er bat um Nachsicht, daß er ein halbes Jahr zuvor Wielands «Alceste» (immerhin berühmte Oper des Dichters, auf den Weimar stolz war!) mutwillig zerfleddert und persifliert hatte, und er erkundigte sich, nachdem die Prinzen in Richtung Paris entschwunden waren, immer wieder bei Freund Knebel, «wie's Ihnen allzusammen gangen ist» und «Wo sind Sie? Bin ich in gutem Andenken unter Ihnen?» und «Lieben Sie mich noch? Und schreiben Sie mir viel von Ihnen? Vom theuern Herzog, erinnern Sie ihn meiner Liebe...»

Albumblatt mit Carl Augusts Silhouette

Eine Höflichkeit, eine Anhänglichkeit, die zur Folge hatte, daß, aus Paris zurück, es Carl August freute, Goethe im Mai 1775 in Karlsruhe zu treffen, ihn im September in Frankfurt, auf der Fahrt zu seiner Hochzeit mit Louise von Hessen, kurz zu sehen und ihn, am 12. Oktober, wieder in Frankfurt, nun gemeinsam mit der jungen Herzogin, in aller Form nach Weimar einzuladen.

(Kammerherr v. Kalb, der in Karlsruhe auf einen in Straßburg für den Weimarer Hof bestellten Landauer wartete, war angewiesen, Goethe in den nächsten Tagen im Vorbeifahren nach Weimar mitzunehmen.)

Eine Nachricht, die Rat Goethe, der nicht von dem Verdacht ließ, man wolle seinem Sohn einen typischen Hofstreich spielen, mit Skepsis erfüllte.
Goethe seinerseits aber hatte bereits am 4. Oktober den Grafen zu Stolberg geschrieben: «Wenn ich nach Weimar kan, so thu ichs wohl», und drei Tage später an Merck: «Ich erwarte den Herzog und Louisen, und gehe mit ihnen nach Weimar. Da wirds doch wieder allerley Guts und Ganzes und Halbes geben!»
Er packte und nahm Abschied, doch der Wagen kam nicht. Auch Kammerherr von Kalb ließ nichts von sich hören. Rat Goethes Verdacht gewann mehr und mehr an Gewicht. An der Sache sei nun einmal nichts mehr zu ändern, meinte er zum Sohn, der Koffer sei gepackt, er wolle ihm Geld und Kredit geben, nach Italien zu gehn (ein Lieblingsgedanke des Vaters!), nur müsse er sich entschließen und sofort aufbrechen. – Zaudernd, voll Zweifel, ging Goethe schließlich auf des Vaters Plan ein.

«Bittet», hielt Goethe am 30. Oktober in seinem Reise-Diarium fest, «daß eure Flucht nicht geschehe im Winter, noch am Sabbath», ließ mir mein Vater zur Abschiedswarnung auf die Zukunft noch aus dem Bette sagen! – Diesmal rief ich aus, ist nun ohne mein Bitten Montag Morgends sechse, und was das übrige betrifft, so fragt das liebe unsichtbare Ding, das mich leitet und schult, nicht ob und wann ich mag. Ich packte für den Norden, und ziehe nach Süden; ich sagte zu, und komme nicht, ich sagte ab und komme!»

Goethes erste Station war Heidelberg, da er hoffte, doch noch August von Kalb, der hier durchkommen mußte, zu treffen, und zudem fand er bei Demoiselle Delph, der Vertrauten seiner glücklich-unglücklichen Lili-Tage, gastliche Unterkunft. Mit ihr, trotz des Scheiterns der von ihr so eifrig betriebenen Verlobung mit Lili, bereits wieder erfüllt von vielerlei Plänen zu seinem Wohl, schwatzte er bis in die späten Nachtstunden.

Heidelberger Schloß · Goethe-Aquarell

«Wir trennten uns erst gegen eins», schreibt Goethe in ‹Dichtung und Wahrheit›. «Ich hatte aber nicht lange geschlafen, als das Horn eines Postillons mich weckte, der reitend vor dem Hause hielt. Bald darauf erschien Demoiselle Delph mit einem Licht und Brief in den Händen und trat vor mein Lager. ‹Da haben wir's!› rief sie aus. ‹Lesen Sie, sagen Sie mir, was es ist. Gewiß kommt es von den Weimarischen. Ist es eine Einladung, so folgen Sie ihr nicht. Erinnern Sie sich an unsre Gespräche.› – Ich bat sie um das Licht und um eine Viertelstunde Einsamkeit. Sie verließ mich ungern. Ohne den Brief zu eröffnen, sah ich eine Weile vor mich hin. Die Stafette kam von Frankfurt. Ich kannte Siegel und Hand, der Freund war also dort angekommen, er lud mich ein, und der Unglaube und Ungewißheit hatten uns übereilt. Warum sollte man nicht auf einen sicher angekündigten Mann warten, dessen Reise durch so manche Zufälle verspätet werden konnte? Es fiel mir wie Schuppen von den Augen. Alle vorhergegangene Güte, Gnade, Zutrauen stellte sich mir lebhaft wieder vor; ich schämte mich fast meines wunderlichen Seitensprungs. – Nun eröffnete ich den Brief, und alles war ganz natürlich zugegangen. Kalb hatte auf den neuen Wagen, der von Straßburg kommen sollte, Tag für Tag, Stunde für Stunde, wie wir auf ihn geharrt, war alsdann Geschäfts wegen über Mannheim nach Frankfurt gegangen, und hatte dort zu seinem Schreck mich nicht gefunden. Durch eine Stafette sendete er gleich das eilige Blatt ab, worin er voraussetzte, daß ich sofort nach aufgeklärtem Irrtum zurückzukehren und ihm nicht die Beschämung bereiten wolle, ohne mich in Weimar anzukommen.

Ich hatte mich indes angezogen und ging in der Stube

auf und ab. Meine ernste Wirtin trat herein. ‹Was soll ich hoffen?› rief sie aus. ‹Meine Beste›, sagte ich, ‹reden Sie mir nichts ein, ich bin entschlossen zurückzukehren; die Gründe habe ich selbst bei mir abgewogen, sie zu wiederholen, würde nichts fruchten. Der Entschluß am Ende muß gefaßt werden, und wer soll ihn fassen als der, den er zuletzt angeht.› Ich war bewegt, sie auch, und es gab eine heftige Szene, die ich dadurch endigte, daß ich meinem Burschen befahl, Post zu bestellen. Vergebens bat ich meine Wirtin, sich zu beruhigen. Sie wollte von nichts wissen und beunruhigte den schon Bewegten noch immer mehr. Der Wagen stand vor der Tür, aufgepackt war, der Postillon ließ das gewöhnliche Zeichen der Ungeduld erschallen, ich riß mich los, sie wollte mich nicht fahren lassen, so daß ich endlich leidenschaftlich und begeistert die Worte Egmonts ausrief:
‹Kind, Kind! nicht weiter! Wie von unsichtbaren Geistern gepeitscht, gehen die Sonnenpferde der Zeit mit unsers Schicksal leichten Wagen durch, und uns bleibt nichts als, mutig gefaßt, die Zügel festzuhalten und bald rechts, bald links, vom Steine hier, vom Sturze da, die Räder abzulenken. Wohin es geht, wer weiß es? Erinnert er sich doch kaum, woher er kam.»

1 Montag

Verfahre ruhig, still,
Brauchst dich nicht anzupassen;
Nur wer was gelten will,
Muß andre gelten lassen.

2 Dienstag

Wir wir was Großes lernen sollen, flüchten wir uns gleich in unsre angeborne Armseligkeit.

3 Mittwoch

Ich verlange nicht mehr von den Menschen, als sie geben können.

4 Gründonnerstag · Passah Anfang

Unsre Leidenschaften sind wahre Phönixe. Wie der alte verbrennt, steigt der neue sogleich wieder aus der Asche hervor.

5 Karfreitag

In wenig Stunden
Hat Gott das Rechte gefunden.

6 Karsamstag

Es hat im Orient einen Mann gegeben, der jeden Morgen seine Leute um sich versammelte und sie nicht eher an die Arbeit gehen ließ, als bis er der Sonne geheißen aufzugehen. Aber hiebei war er so klug, diesen Befehl nicht eher auszusprechen, als bis die Sonne wirklich auf dem Punkt stand, von selber zu erscheinen.

7 Ostersonntag

Die Nachtigall, sie war entfernt,
Der Frühling lockt sie wieder;
Was Neues hat sie nicht gelernt,
singt alte liebe Lieder.

8 Ostermontag

Es geschieht nichts Unvernünftiges, das nicht Verstand oder Zufall wieder in die Richte brächten; nichts Vernünftiges, das Unverstand und Zufall nicht mißleiten könnten.

9 Dienstag

Zu nehmen, zu geben des Glückes Gaben,
Wird immer ein groß Vergnügen sein.

10 Mittwoch

Man braucht nicht alles selbst gesehen noch erlebt zu haben; willst du aber dem andern und seinen Darstellungen vertrauen, so denke, daß du es nun mit dreien zu tun hast: mit dem Gegenstand und zwei Subjekten.

11 Donnerstag · Passah Ende

Wer sich entschließen kann, besiegt den Schmerz.

12 Freitag

Die Natur spielt immerfort mit der Mannigfaltigkeit der einzelnen Erscheinungen, aber es kommt darauf an, die allgemeine stetige Regel zu abstrahieren, nach der sie handelt.

13 Samstag

Groß beginnt ihr Titanen; aber leiten zu dem ewig Guten, ewig Schönen, ist der Götter Werk.

14 Sonntag

Die Menschheit ist bedingt durch Bedürfnisse.

15 Montag

Das Muß ist hart, aber beim Muß kann der Mensch allein zeigen, wie's inwendig mit ihm steht.

16 Dienstag

Über das Herz zu siegen ist groß, ich verehre den Tapfern,
Aber wer durch sein Herz sieget, er gilt mir noch mehr.

17 Mittwoch

Der größte Teil des Unheils und dessen, was man bös in der Welt nennt, entsteht, weil die Menschen zu nachlässig sind, ihre Zwecke recht kennen zu lernen.

18 Donnerstag

Die Leidenschaften sind Mängel oder Tugenden, nur gesteigerte.

19 Freitag

Alt wird man wohl, wer aber klug?

20 Samstag

Der Teufel hol das Menschengeschlecht!
Man möchte rasend werden!
Da nehm ich mir so eifrig vor:
Will niemand weiter sehen,
Will all das Volk Gott und sich selbst
Und dem Teufel überlassen!
Und kaum seh ich ein Menschengesicht,
So hab ichs wieder lieb.

21 Sonntag

Nur das innig und ewig Wahre kann mich erfreuen.

22 Montag

Man kann schon einen nicht, geschweige denn viele unter einen Hut bringen, denn jeder setzt ihn sich anders zurecht!

23 Dienstag

Der Charakter, das heißt die Mischung der ersten menschlichen Grundtriebe, der Selbsterhaltung, der Selbstschätzung ist das, wovon auch die Ausbildung der übrigen Seelenkräfte ausgeht und worauf sie ruht.

24 Mittwoch

Mit Narren sich beladen,
Da kommt zuletzt der Teufel selbst zu Schaden.

25 Donnerstag

Wenn man doch nur die Frömmigkeit, die im Leben so notwendig und liebenswürdig ist, von der Kunst sondern wollte, wo sie, eben wegen ihrer Einfalt und Würde, die Energie niederhält.

26 Freitag

Mit Worten vermag man nicht viel gegen eine entschiedene Leidenschaft zu wirken.

27 Samstag

Magst dem Schicksal widerstehen,
Aber manchmal setzt es Schläge;
Wills nicht aus dem Wege gehen,
Ei! so geh du aus dem Wege.

28 Sonntag

Über des Menschen Herz läßt sich nichts sagen als mit dem Feuerblick des Moments.

29 Montag

Hypotheken sind Wiegenlieder, womit der Lehrer seine Schüler einlullt; der denkende treue Beobachter lernt immer mehr seine Beschränkung kennen, er sieht: je weiter sich das Wissen ausbreitet, desto mehr Probleme kommen zum Vorschein.

30 Dienstag

Neigung besiegen ist schwer; gesellet sich aber Gewohnheit, wurzelnd, allmählich zu ihr, unüberwindlich ist sie.

Johann Heinrich Wilhelm Tischbein · Weinstock

II. «WIE EINE SCHLITTENFAHRT, RASCH WEG...»

ANKÜNDIGUNGEN

Zimmermann an Frau v. Stein, 22. 10. 1775 – Ich habe in Frankfurt bei Herrn Goethe gewohnt, einem der außerordentlichsten und gewaltigsten Genies, die jemals durch die Welt gegangen sind. Er wird sicherlich kommen, Sie in Weimar zu besuchen...

Wieland an Lavater, 27. 10. – Auf Goethen warten wir hier sehnlich seit acht bis zehn Tagen von Tag zu Tag, von Stunde zu Stunde. Noch ist er nicht angelangt, und wir besorgen nun, er komme gar nicht.

Den 10. November – Dienstags, den 7. d. M., morgens um fünf Uhr, ist Goethe in Weimar angelangt. O bester Bruder, was soll ich Dir sagen? Wie ganz der Mensch beim ersten Anblick nach meinem Herzen war! Wie verliebt ich in ihn wurde, da ich am nämlichen Tage an der Seite des herrlichen Jünglings saß!

Goethe an Auguste Gräfin zu Stolberg, 22. 11. – Ich erwarte deine Brüder, o Gustgen! was ist die Zeit alles mit mir vorgegangen. Schon fast vierzehn Tage hier, im Treiben und Weben des Hofs.

Friedrich L. Graf zu Stolberg, 26. 11. – Diesen Abend sind wir hier in Weimar angekommen und haben auch schon unsern lieben Goethe wiedergesehen... Goethen gefällt's hier gewaltig.

Zimmermann, 29. 12. – Je ne suis du tout surpris que Monsieur Goethe ait plu généralement à Weimar. Précédé par une réputation aussi brillante et aussi généralement reconnue que la sienne, portant d'ailleurs à la première vue la foudre dans ses yeux, il a du toucher tous les cœurs par sa bonhomie infiniment aimable, et par l'honnêteté qui va de pair avec son génie sublime et transcendant.

Graf Goertz an seine Frau, 28. 12. – A la fin après souper le grand Goethe est venu et a rendu notre duc heureux.

Goethe an Johanna Fahlmer, 22. 11. – Lieb Täntgen! Wie eine Schlittenfahrt geht mein Leben, rasch weg und klingelnd und promenierend auf und ab. Gott weiß, wozu ich noch bestimmt bin, daß ich solche Schulen durchgeführt werde. Diese gibt meinem Leben neuen Schwung, und es wird alles gut werden. Ich kann nichts von meiner Wirtschaft sagen, sie ist zu verwickelt, aber alles geht erwünscht.

Weimar · Das Schloß · Aquarellierte Federzeichnung von C. A. Schwerdgeburth

Zimmermann, 3.11.1775 – Goethe habe ich zweimal gesehen und das zweite Mal bei ihm logiert. Er ist itzt in Weimar; in Frankfurt sah ich mit eignen Augen, daß der Herzog ganz in Goethe verliebt war, und er hat recht.
Christian Graf zu Stolberg, 21.1.1776 – Wir genossen Goethe acht Tage, und lebten in Weimar mit ihm, mit dem Herzog, der ein trefflicher junger Mann ist, und mit den beiden Herzoginnen, die sind wie Herzoginnen nicht sind! herrlich und in Freuden. Der ganze Hof ist sehr angenehm, man kann vergessen, daß man mit Fürstlichkeiten umgeht.
F.W. Gotter, 2.1. – Ich hab Goethe in allem kaum eine Viertelstunde gesprochen. Er weiß noch nicht, wie lang er in Weimar bleiben wird, wo er den Günstling in bester Form und Ordnung spielt und den ihm eigenen vertraulichen Ton überall eingeführt hat...
Hufelands Selbstbiographie – Zu allen Gaben, die Goethe besaß, kam noch die Gunst des jungen Fürsten, der eben die Regierung angetreten hatte, und den er plötzlich aus seiner pedantischen, beschränkten, verzärtelnden Hofexistenz ins freie Leben hinausriß, und damit anfing, daß er ihn im Winter eiskalte Bäder nehmen ließ, ihn beständig in freier Luft erhielt und mit ihm in seinem Lande herumreiste, wobei dann überall brav gezecht wurde, wodurch man aber auch genaue Kenntnis des Landes und der Persönlichkeiten erwarb. Die erste natürliche Folge dieser heroischen Kur war freilich eine tödliche Krankheit des Herzogs, aber er überstand sie glücklich, und der Erfolg war ein abgehärteter Körper für das ganze folgende Leben, so daß er ungeheure Strapazen hat aushalten können.

Carl August von Weimar · Ölbild von Jens Juel

Aus Goethes Tagebuch, Ilmenau, August 1776 – Mit d. Herz. in die Kammerberger Kohlenwerke eingefahren. Gefrühstückt unten. Viel von Bergw.sachen geschwatzt. Nach Tische Scheibenschießen. – Früh Regen. Gegen 9 auf Elgersburg. gessen. Mit Miseln gekittert. nach Tisch hohen Fels weg! Allein. Dann Kraus, dann der Herzog. Unser Klettern durch die Schlucht. – Des Herz. Bein ward schlimm die Nacht. Verduselter, verzeichneter, verwarteter, verschlafener Morgen. – Meist zu Hause. – Früh des H. Wunde immer gleich. Resolviert nach Tische den Aufbruch. Gepackt. – *Weimar* Den Tag über gefahren. Abends angelangt. – Session. Des H. Fuß viel besser. – Belveder. Tiefurt. Mit Herzog und Anna Amalia. – Nach Enten. Mit Herz. gessen. – Morgens b. Herz. und zu Tische. Nach Mittag zu Tiefurt.

Goethe zu Eckermann, 23. 10. 1828 – Nach der Lektüre eines ihn tief bewegenden Briefes Alexander v. Humboldts über Carl Augusts letzte Lebenstage, die Humboldt in Berlin in engster Gesellschaft des Fürsten verbracht hatte, sagte Goethe: «Sie sehen, wie sein außerordentlicher Geist das ganze Reich der Natur umfaßte. Für alles hatte er Sinn und für alles Interesse. – Er war achtzehn Jahre alt, als ich nach Weimar kam; aber schon damals zeigten seine Keime und Knospen, was einst der Baum sein würde. Er schloß sich bald auf das innigste an mich an und nahm an allem, was ich trieb, gründlichen Anteil. Daß ich fast zehn Jahre älter war als er, kam unserm Verhältnis zugute. Er saß ganze Abende bei mir in tiefen Gesprächen über Gegenstände der Kunst und Natur und was sonst allerlei Gutes vorkam. Wir saßen oft tief in die Nacht hinein, und es war nicht selten, daß wir nebeneinander auf meinem Sofa einschliefen. Fünfzig Jahre lang haben wir es miteinander fortgetrieben, und es wäre kein Wunder, wenn wir es endlich zu etwas gebracht hätten.»

Goethe hat Carl August, Carl August hat Goethe gewählt. Das beliebte Wort vom servilen Fürstenknecht, von der Fürstendienerei Goethes zielt an der Realität vorbei. Die Begegnung der beiden jungen Männer im Dezember 1774 im Rothen Hahn zu Frankfurt war der Beginn einer Freundschaft, der, trotz mancherlei Belastungsproben, nur der Tod ein Ende setzte.
Fürst und Dichter waren einander wert. Goethes seelischer Reichtum, seine Weite, seine Sensibilität, verbunden mit jugendlichem Übermut, mit der Lust an Schabernack, Spiel und frischer Bewegung, hatten den Prinzen in Bann geschlagen. Selbst lebhaft, ungestüm, burschikos, selbst ein ausgezeichneter Kopf, mit achtzehn bereits, wie sich zeigte, sicher in Urteil und Entscheidung, wünschte er sich diesen kräftigen, diesen reichbegabten Menschen zum Freund und Mitarbeiter.

Goethe in Weimar – man weiß es – das begann im Winter 75 auf 76 wie die wilde Jagd. Noch einmal ging «Sturm und Drang» in Wertheruniform und Götz-Ton in Szene. Fluchen selbst an der Hoftafel, Lärm bei jedem Auf- und Abritt, Peitschengeknall auf dem verschlafenen Marktplatz. Dann aufgesessen, auf Parforcepferden über Hecken, Gräben und Flüsse; bergein, bergauf, sich tagelang abarbeiten und dann nachts unter freiem Himmel kampieren oder baden in eiskalten Bächen, Tanz auf dem Dorfanger und Gekitter mit den Misels.

Wie eine Studenten-Kumpanei fegt die herzogliche Kavalkade durch das aufgestörte Land, treibt ihre derben Späße, spielt Bürgerschreck, treibt Unfug, auch groben Unfug, wohin sie gerät. – Goethe, immerhin acht Jahre älter als der Prinz, auch seinem Wesen nach wenig geneigt zu Klamauk und Radau, wird bald des kraftgenialischen Treibens müde. Doch für den blutjungen Fürsten, eben dem strengen Reglement einer steif-höfischen, überaus pedantischen Erziehung entschlüpft, ist das Treiben ein herrlicher Spaß.

Außer dem Herzog, dessen Intimus und engster Berater er bleibt, gewann Goethe auch beinahe sofort die Herzogin-Mutter für sich, während Louise, die junge Landesherrin, kühl und eingeschnürt in den Habitus strengster «Altfürstlichkeit», den jugendlichen Tumult scheu meidet.

Anna Amalia aber war, wie ihrem Sohn, dieser originelle Doctor Goethe, den sie aimable und ungewöhnlich interessant findet, überaus sympathisch. Souverän übersieht sie das Genie-Gehabe, das zudem unter den belustigt-spöttischen Blicken dieser großen Dame rasch schwindet. Sie zieht ihn an ihren Hof, der ja be-

reits als ein Sitz der Musen gilt. Goethe wird zum Maître de plaisir, zum Hofpoeten. Er arrangiert die gelungensten kleinen Feste, schreibt hübsche Sächelchen wie «Lila» oder «Die Fischerin» oder den «Triumph der Empfindsamkeit»: Texte mit vielerlei Anspielungen und tieferer Bedeutung für die, die Be-

(Fortsetzung S. 58))

Herzogin Anna Amalia · Ölbild von Georg Melchior Kraus, 1774

1 Mittwoch · Maifeiertag

Meine stille Freundin:
O, daß die erst
Mit dem Lichte des Lebens
Sich von mir wende,
Die edle Treiberin,
Trösterin Hoffnung!

2 Donnerstag

Laßt uns alle Kleinigkeiten fliehen, wo man Grillen für Wahrheit und Hypothesen für Grundlehren verkauft.

3 Freitag

Der Mensch scheint mit nichts vertrauter zu sein als mit seinen Hoffnungen und Wünschen, die er lange im Herzen nährt, und doch, wenn sie ihm nun begegnen, wenn sie sich ihm gleichsam aufdringen, erkennt er sie nicht und weicht vor ihnen zurück.

4 Samstag

«Warum bist du so hochmütig?
Hast sonst nicht so die Leute gescholten!»
Wäre sehr gerne demütig,
Wenn sie mich nur so lassen wollten.

5 Sonntag

Die Jugend ist vergessen
Aus geteilten Interessen;
Das Alter ist vergessen
Aus Mangel an Interessen.

6 Montag

Vergebens, daß der gelaßne, vernünftige Mensch den Zustand des Unglücklichen übersieht; vergebens, daß er ihm zuredet! Ebenso wie ein Gesunder, der am Bette des Kranken steht, ihm von seinen Kräften nicht das Geringste einflößen kann.

7 Dienstag

Nichts schrecklicher kann den Menschen geschehn,
Als das Absurde verkörpert zu sehn.

8 Mittwoch

Es ist irgendwo gesagt, daß die Weltgeschichte von Zeit zu Zeit umgeschrieben werden müsse, und wann war wohl eine Epoche, die dies so notwendig machte, als die gegenwärtige.

9 Donnerstag

Jede Hoffnung ist eigentlich eine gute Tat.

10 Freitag

Geht es doch unsern Vorsätzen, wie unsern Wünschen. Sie sehen sich gar nicht mehr ähnlich, wenn sie ausgeführt, wenn sie erfüllt sind, und wir glauben nichts getan, nichts erlangt zu haben.

11 Samstag

Denn es ziemt des Tags Vollendung
Mit Genießern zu genießen.

12 Sonntag

Suche nicht verborgne Weihe!
Unterm Schleier laß das Starre!
Willst du leben, guter Narre,
Sieh nur hinter dich ins Freie.

13 Montag

Jede Bildung ist ein Gefängnis, an dessen Eisengitter Vorübergehende Ärgernis nehmen, an dessen Mauern sie sich stoßen können; der sich Bildende, darin Eingesperrte, stößt sich selbst, aber das Resultat ist eine wirklich gewonnene Freiheit.

14 Dienstag

Was kann dem Manne erwünschter sein, als eine Frau zu finden, die überall mit ihm wirkt.

15 Mittwoch

Da die Schönheit unteilbar ist und uns den Eindruck einer vollkommenen Harmonie verleiht, so läßt sie sich durch eine Folge von Worten nicht darstellen.

16 Donnerstag · Himmelfahrt

In allen Elementen Gottes Gegenwart.

17 Freitag

Was an uns Original ist, wird am besten erhalten und belobt, wenn wir unsre Altvordern nicht aus den Augen verlieren.

18 Samstag

Die stille, reine, immer wiederkehrende, leidenlose Vegetation tröstet mich oft über der Menschen Not, ihre moralischen, noch mehr physischen Übel.

19 Sonntag

Was ich nicht weiß,
Macht mich nicht heiß.
Und was ich weiß,
Machte mich heiß,
Wenn ich nicht wüßte,
Wie's werden müßte.

20 Montag

In den Wissenschaften ist es höchst verdienstlich, das unzulängliche Wahre, was die Alten schon besessen, aufzusuchen und weiter zu führen.

21 Dienstag

Eine Frau, die das Hauswesen recht zusammenhält, kann ihrem Manne jede kleine Phantasie nachsehen.

22 Mittwoch

Der Mensch ist ein geselliges, gesprächiges Wesen; seine Lust ist groß, wenn er Fähigkeiten ausübt, die ihm gegeben sind, und wenn auch weiter nichts dabei herauskäme.

23 Donnerstag

Nichts bleibt weniger verborgen und ungenutzt als zweckmäßige Tätigkeit.

24 Freitag · Jüdisches Wochenfest

Gewöhnlich wehrt sich der Mensch so lange als er kann, den Toren, den er im Busen hegt, zu verabschieden, einen Hauptirrtum zu bekennen, und eine Wahrheit einzugestehen, die ihn zur Verzweiflung bringt.

25 Samstag

Hoffnung beschwingt Gedanken – Liebe Hoffnung.

26 Pfingstsonntag

Komm heiliger Geist, du Schaffender,
Komm, deine Seelen suche heim;
Mit Gnadenfülle segne sie,
Die Brust, die du geschaffen hast.

27 Montag

Der ist ein Klotz, der sich nicht verwundern kann, auf den nicht die ewigen Naturgesetze einen mächtigen Eindruck machen, die einzig imstande sind, der Seele einen Schwung zu geben, in ihr eine Sehnsucht zu erregen, die nur durch Ergründung dieser Gesetze kann befriedigt werden.

28 Dienstag

Die Irrtümer des Menschen machen ihn eigentlich liebenswürdig.

29 Mittwoch

Wohlhabend ist jeder, der dem, was er besitzt, vorzustehen weiß; vielhabend zu sein ist eine lästige Sache, wenn man es nicht versteht.

30 Donnerstag

Die Liebe macht vieles Unmögliche möglich.

31 Freitag

Der Horizont der tätigen Kraft aber muß bei dem bildenden Genie so weit, wie die Natur selber, sein.

scheid wußten. Unter seiner Regie wechseln Maskeraden mit Redouten und Picknicks; man läuft – auch das für die Hofgesellschaft ein funkelnagelneues Vergnügen – bei Fackelschein auf den vereisten Ilmwiesen Schlittschuh. An häuslichen Abenden improvisiert Goethe, dieser «Zaubrer, dieser schöne Hexenmeister», wie ihn Wieland nennt, in atemberaubender Folge Hexameter, Stanzen, Knittelverse, extemporiert Sketch um Sketch, erfindet ad hoc übermütige Geschichten.

Er liest aus mitgebrachten, er liest aus neu entstehenden Arbeiten, darunter den «Urfaust», den «Urmeister»; er rezitiert die «Harzreise im Winter» oder «An den Mond» oder die «Grenzen der Menschheit». – Der kleine Kreis wird zu seinem Publikum, an das er denkt, wenn er schreibt.

Was weiß ich, was mir hier gefällt,
In dieser engen kleinen Welt
Mit leisem Zauberband mich hält!
Mein Karl und ich vergessen hier,
Wie seltsam uns ein tiefes Schicksal leitet,
Und, ach, ich fühl's, im stillen werden wir
Zu neuen Szenen vorbereitet.
Du hast uns lieb, du gabst uns das Gefühl,
Daß ohne dich wir nur vergebens sinnen,
Durch Ungeduld und glaubenleer Gewühl
Voreilig dir niemals was abgewinnen.
Du hast für uns das rechte Maß getroffen,
In reine Dumpfheit uns gehüllt,
Daß wir, von Lebenskraft erfüllt,
In holder Gegenwart der lieben Zukunft hoffen.

Am 3. 8. 1776 einem Brief an Lavater beigelegt.

Frau v. Stein an Zimmermann, März 1776 – Goethe wird geliebt und gehaßt. Sie fühlen wohl, daß es genug Dickköpfe gibt, die ihn nicht verstehen.

Baron Seckendorff, 15.2. – Des Herzogs Partei ist geräuschvoll, die Gegenpartei ruhig. Man läuft, jagt, schreit, peitscht, galoppiert, und bildet sich ein, es mit Geist zu tun, da Schöngeister teilnehmen. Es gibt keine Ausgelassenheit, die man sich nicht erlaubte. Die andern aber langweilen sich, sehen ihre Pläne durchkreuzt, und die Vergnügen schwinden meist, wenn man sie zu greifen sucht.

Isaak Iselin, 13.5. – Baron von Dalberg fand neulich, bei einem Besuch in Weimar, den Herzog beim Blindekuhspielen mit seinen Philosophen. Nur flüchtig grüßte man den Gast und gab sich weiter dem Spiel hin – was den hohen Herrn, wie man sagt, offensichtlich verdroß!

Zimmermann an Herder, 19.6. – Ich weiß aus Briefen von ersten Personen des Hofes, daß die junge Herzogin äußerst unglücklich sein muß...

Johann Heinrich Voss, 14.7. – In Weimar geht es erschrecklich zu. Der Herzog läuft mit Goethen wie ein wilder Pursche auf den Dörfern herum; er besäuft sich und genießt brüderlich einerlei Mädchen mit ihm.

Eberhard Friedrich v. Gemmingen, 24.9. – Sie würden Mühe haben, alle die Torheiten zu glauben, die Goethe und der treue Gefährte seiner Ausschweifungen, der Herzog von Weimar, miteinander begehen!

Joachim Christoph Bode, 31.8. – Zu Weimar habe ich Goethe *auch* und Lenz *auch* kennengelernt! Mich soll wundern, ob die Szene dort wie eine lahme Farce oder wie ein Trauerspiel endet?

Klopstock an Goethe, 8.5.76 – ... denken Sie nicht, daß ich Sie deswegen, weil Sie vielleicht in diesem oder jenem andre Grundsätze haben als ich, streng verurteile. Aber Grundsätze – Ihre und meine beiseite, was wird der unfehlbare Erfolg sein? Der Herzog wird, wenn er weiter so fortfährt und sich bis zum Krankwerden betrinkt, anstatt, wie er sagt, seinen Körper dadurch zu stärken, erliegen und nicht lange leben. – Die Herzogin wird vielleicht itzt ihren Schmerz noch niederhalten können,

Louise Herzogin von Sachsen-Weimar-Eisenach

denn sie denkt sehr männlich. Aber dieser Schmerz wird Gram werden. Und läßt sich der etwa auch niederhalten? Louisens Gram! Goethe! – Nein, rühmen Sie sich nur nicht, daß Sie sie lieben wie ich!

Goethe an Klopstock, 21.5.76 – Verschonen Sie uns ins Künftige mit solchen Briefen, lieber Klopstock! Sie helfen nichts, und machen uns immer ein paar böse Stunden.

Sie fühlen selbst, daß ich nichts darauf zu antworten habe. Entweder müßte ich als Schul Knabe ein pater peccavi anstimmen oder mich sophistisch entschuldigen, oder als ein ehrlicher Kerl verteidigen, und dann käme vielleicht in der Wahrheit ein Gemisch von allen Dreien heraus, und wozu?

Also kein Wort mehr zwischen uns über diese Sache! Glauben Sie, daß mir kein Augenblick meiner Existenz überbliebe, wenn ich auf all' solche Briefe, auf' all solche Anmahnungen antworten sollte…

Übers Niederträchtige
Niemand sich beklage;
Denn es ist das Mächtige,
Was man dir auch sage.

In dem Schlechten waltet es
Sich zu Hochgewinne,
Und mit Rechtem schaltet es
Ganz nach seinem Sinne.

Wandrer! – Gegen solche Not
Wolltest du dich sträuben?
Wirbelwind und trocknen Kot,
Laß sie drehn und stäuben.

Divan. Buch des Unmuts

Die Strahlkraft des Goetheschen Namens verdeckte und verdeckt uns oft die historische Realität. Der herzogliche Hof, der illustre Kreis der Damen, der Kavaliere schrumpft zur reizvollen Staffage, wird zum Publikum, das artig dem Genie zu applaudieren hatte und, nach Meinung idealisierender Schwärmerei, auch artig applaudierte. Uns entgeht nur zu leicht die Tatsache, daß dieses «Klassische Weimar», diese seltene und unserem Bedürfnis nach Harmonie und Erhöhung so angenehme Übereinkunft von Welt und Geist, Resultat schwieriger Anpassungen war.
Schwierig und enervierend (vielleicht sogar dann und wann kränkend?) auch für Goethe. Monatelang sieht er sich, woran nüchtern Walter F. Bruford, der englische Germanist, erinnert, an die Marschalltafel verwiesen; findet nur langsam Anschluß an die exklusiven Zirkel der Liebhaberbühne und sieht sich zudem gezwungen, zur Finanzierung seiner Weimarer Tage, auch wenn es ihn sauer ankommt, den Vater (der aber mürrisch ablehnt), die Mutter und schließlich Freund Merck um kurzfristige Darlehen zu bitten.
Carl August, dem der Freund von Woche zu Woche unentbehrlicher wurde, setzte jedoch alle Energie daran, den großen funkelnden Geist seinem armen Hof, seinem kümmerlichen Ländchen zu verbinden. – Gegen den Widerstand des Hofes und der eingesessenen Bürokratie, die den bürgerlichen Emporkömmling hartnäckig ablehnten, verschaffte er dem Mann seiner Wahl Amt, Besitz, Titel und gesicherte Einkünfte, verschaffte ihm die Basis, nach der Goethe suchte und die ihm dann auch erlaubte, seine Existenz nach allen

Goethe im Jahre 1779 · Tuschzeichnung von Johann Heinrich Lips

Seiten hin auszubreiten und neben den amtlichen Pflichten seinen esoterischen Neigungen, sei es als Dichter, sei es als Forscher, nachzugehen. Carl August habe ihm, sagte Goethe, gegeben,

> «– – was Große selten gewähren,
> Neigung, Muße, Vertraun, Felder und Garten und Haus.
> Niemand braucht ich zu danken als Ihm, und manches bedurft ich,
> Der ich mich auf den Erwerb schlecht, als ein Dichter, verstand…
> Niemals frug ein Kaiser nach mir, es hat sich kein König
> Um mich bekümmert, und Er war mir August und Mäcen.»

Wieland an Merck, 26.1.76 – Goethe kömmt nicht wieder von hier los. Carl August kann nicht mehr ohne ihn schwimmen noch waten. 's ist aber noch nichts Entschiedenes...

Siegmund v. Seckendorff, 29.3. – Fritsch ist noch immer Minister, und wird es wohl noch eine Weile bleiben. Er ist ein rechtschaffner Mann, der weiß, was er will; seine Gewohnheit ist, sich weder billigend noch mißbilligend über eine Sache auszusprechen, bis die Notwendigkeit es gebieterisch erfordert.

Minister v. Fritsch an den Herzog, 24.4. – Über das Sujet des Dr. Goethe und dessen Placierung im Geheimen Consilio habe Eurer Hochfürstlichen Durchlaucht bereits mit aller Freimütigkeit meine wenigen Gedanken gesagt. Ich nehme mit Bekümmernis wahr, daß meine diese letztere – ohne allen Widerwillen oder Abneigung gegen diesen Mann – geäußerte Bedenklichkeiten Höchstderoselben Aufmerksamkeit so wenig auf sich gezogen, daß Sie auf einem Entschluß bestehen, welcher Ihro von aller Welt verdacht werden, welcher alle Ihro treuen und verdienten Diener, so auf eine dergleichen ansehnliche Stelle Anspruch machen könnten, unendlich niederschlagen muß, welchen Dr. Goethe, falls er, wie ich ihm zutrauen will, wahres Attachement und Liebe vor Euer Hochfürstliche Durchlaucht hat, Ihro selbst widerraten und die ihm zugedachte Gnade verbitten sollte... So bleibt mir nichts mehr übrig, als zu deklarieren, daß ich in einem Collegio, dessen Mitglied gedachter Dr. Goethe jetzt werden soll, länger nicht sitzen kann...

(Fortsetzung S. 71)

1 Samstag

«Die Feinde, sie bedrohen dich,
Das mehrt von Tag zu Tage sich;
Wie dir doch gar nicht graut!»
Das seh ich alles unbewegt,
Sie zerren an der Schlangenhaut,
Die jüngst ich abgelegt.
Und ist die nächste reif genug,
Ab streif ich die sogleich
Und wandle neubelebt und jung
Im frischen Götterreich.

Elmire aus Goethes «Erwin und Elmire» · 1775 · Stich nach D. Chodowiecki (1779)

2 Sonnntag

Pfeiler, Säulen kann man brechen,
Aber nicht ein freies Herz:
Denn es lebt ein ewig Leben,
Es ist selbst der ganze Mann,
In ihm wirken Lust und Streben,
Die man nicht zermalmen kann.

3 Montag

Jedes schöne Ganze der Kunst ist im kleinen ein Abdruck des höchsten Schönen, im ganzen der Natur.

4 Dienstag

Lieber schlimm aus Empfindung als gut aus Verstand.

5 Mittwoch

Die seltenste Form bewahrt im geheimen das Urbild.

6 Donnerstag · Fronleichnam

Der Mensch soll an Unsterblichkeit glauben, er hat dazu ein Recht, es ist seiner Natur gemäß, und er darf auf religiöse Zusagen bauen; wenn aber der Philosoph den Beweis für die Unsterblichkeit unserer Seele aus einer Legende hernehmen will, so ist das sehr schwach und will nicht viel heißen.

7 Freitag

Von der Vernunfthöhe herunter sieht das ganze Leben wie eine böse Krankheit und die Welt einem Tollhaus gleich.

8 Samstag

Der größte Respekt wird allen eingeprägt für die Zeit als einer höchsten Gabe Gottes und der Natur: die aufmerksamste Begleiterin des Daseins.

9 Sonntag

Doppelt gibt, wer gleich gibt,
Hundertfach, der gleich gibt,
Was man wünscht und liebt.

10 Montag

Die Wissenschaft hilft uns, daß sie das Staunen, wozu wir von Natur berufen sind, einigermaßen erleichtere und dem gesteigerten Leben neue Fertigkeiten erwecke zur Abwendung des Schädlichen und zur Einleitung des Nutzbaren.

11 Dienstag

Der Mensch ist ungleich, ungleich sind die Stunden.

12 Mittwoch

Der rohe Mensch ist zufrieden, wenn er nur etwas vorgehen sieht, der gebildete will empfinden, und Nachdenken ist nur dem ganz ausgebildeten angenehm.

13 Donnerstag

Das Absurde, Falsche läßt sich jedermann gefallen: denn es schleicht sich ein; das Wahre, Derbe nicht: denn es schließt aus.

14 Freitag

Gewohnt, jeden Tag zu tun, was die Umstände erfordern, was mir meine Einsichten, Fähigkeiten und Kräfte erlauben, bin ich unbekümmert, wie lang es dauern mag!

15 Samstag

Doch merkt ich mir vor andern Dingen: wie unbedingt, uns zu bedingen, die absolute Liebe sei.

16 Sonntag

«Warum ist alles so rätselhaft?
Hier ist das Wollen, hier ist die Kraft;
Das Wollen will, die Kraft ist bereit
Und daneben die schöne, lange Zeit.»
So seht doch hin, wo die gute Welt
Zusammenhält!
Seht hin, wo sie auseinanderfällt!

17 Montag

Aus der höchsten Mischung des Schönen mit dem Edlen entsteht der Begriff des Majestätischen.

18 Dienstag

Einem Klugen widerfährt keine geringe Torheit.

19 Mittwoch

Und wie dem Walde gehts den Blättern allen: Sie knospen, grünen, welken ab und fallen.

20 Donnerstag

Welche Schrift ich zwei-, ja dreimal hintereinander lese?
Das herzliche Blatt, das die Geliebte mir schreibt.

21 Freitag · Sommeranfang

Vom Nützlichen durchs Wahre zum Schönen.

22 Samstag

Was ist denn eine Saite und alle mechanische Teilung derselben gegen das Ohr des Musikers; ja man kann sagen, was sind die elementaren Erscheinungen der Natur selbst gegen den Menschen, der sie alle erst bändigen und modifizieren muß, um sie sich assimilieren zu können.

23 Sonntag

Mich ängstigt das Verfängliche im widrigen
Geschwätz,
Wo nichts verharret, alles flieht,
Wo schon verschwunden, was man sieht;
Und mich umfängt das bängliche
Das graugestrickte Netz. –
«Getrost! Das Unvergängliche
Es ist das ewige Gesetz,
Wonach die Ros und Lilie blüht.»

24 Montag

Wer klare Begriffe hat, kann befehlen.

25 Dienstag

In der Liebe ist alles Wagestück.

26 Mittwoch

Die meisten verarbeiten den größten Teil der Zeit, um zu leben, und das bißchen, das ihnen von Freiheit übrig bleibt, ängstigt sie so, daß sie alle Mittel aufsuchen, um es los zu werden.

27 Donnerstag

Das kleinste Haar wirft seinen Schatten.

28 Freitag

Torheit ist oft nichts weiter als Vernunft unter einem andern Äußern.

29 Samstag

Stämme wollen gegen Stämme pochen,
Kann doch einer, was der andere kann!
Steckt doch Mark in jedem Knochen,
Und in jedem Hemde steckt ein Mann.

30 Sonntag

Alle Liebe bezieht sich auf Gegenwart. Was mir in der Gegenwart angenehm ist, sich abwesend mir immer darstellt, den Wunsch des erneuerten Gegenwärtigseins immerfort erregt, bei Erfüllung dieses Wunsches von einem lebhaften Entzücken, bei Fortsetzung dieses Glücks von einer immer gleichen Anmut begleitet wird, das eigentlich lieben wir, und hieraus folgt, daß wir alles lieben können, was zu unserer Gegenwart gelangen kann; ja um das letzte auszusprechen: die Liebe des Göttlichen strebt immer danach, sich das Höchste zu vergegenwärtigen.

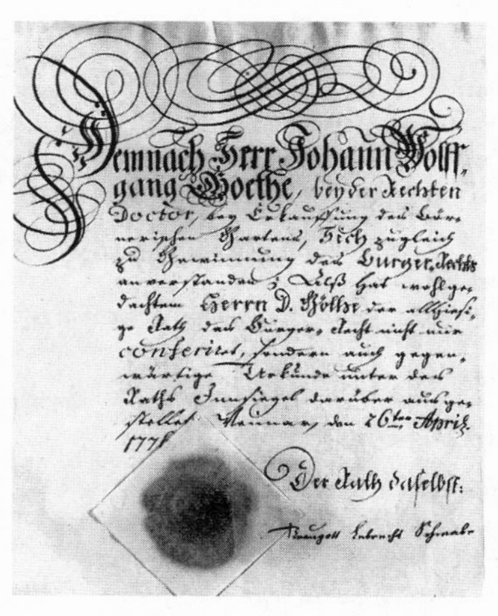

Demnach Herr Johann Wolff-
gang Goethe, beyder Rechten
Doctor, bey Erkauffung des [illegible]
[illegible] Garten, sich zugleich
zu [illegible] des Burger-Rechts
[illegible]
[illegible] Herrn D. Göthe [illegible]
[illegible] Burger-Recht [illegible]
conferiret, [illegible]
[illegible] Urkunde unter des
Raths Insiegel [illegible]
[illegible] den 26ten April
1776

Der Rath daselbst:

Goethes Weimarer Bürgerbrief, vom 26.4.1776

Des Herzogs Antwort, 10. 5. 76 – Sie fordern Ihre Dienstentlassung... nicht allein ich, sondern einsichtsvolle Männer wünschen mir Glück, diesen Mann zu besitzen. Wäre der Dr. Goethe ein Mann zweideutigen Charakters, würde ein jeder Ihren Entschluß billigen. Goethe aber ist rechtschaffen, sein Kopf und sein Genie ist bekannt... und einen Mann von Genie an einen Ort gebrauchen, wo er seine außerordentlichen Talente nicht gebrauchen kann, heißt denselben mißbrauchen. – Was das Urteil der Welt betrifft, daß ich den Dr. Goethe in mein wichtigstes Collegium setze, ohne daß er zuvor weder Amtmann, Professor noch Kammer- oder Regierungsrat war, dieses verändert gar nichts. Die Welt urteilt nach Vorurteilen, ich aber, und jeder, der seine Pflicht tun will, suchet auch ohne den Beifall der Welt zu handeln. – Nach diesem allen muß ich mich sehr wundern, daß Sie, Herr geheimer Rat, die Entschließung fassen, mich in einem Augenblick zu verlassen, wo Sie selber fühlen müssen und gewiß fühlen, wie sehr ich Ihrer bedarf. Wie sehr muß es mich befremden, daß Sie, statt sich ein Vergnügen daraus zu machen, einen jungen fähigen Mann, wie mehrbenannter Dr. Goethe ist, durch Ihre in langem treuem Dienst erlangte Erfahrung zu bilden, lieber meinen Dienst verlassen, und auf eine sowohl für den Dr. Goethe als, ich kann es nicht leugnen, für mich beleidigende Art. Denn es ist, als wäre es Ihnen schimpflich, mit demselben in einem Collegio zu sitzen, welchen ich doch, wie es Ihnen bekannt, für meinen Freund ansehe und welcher nie Gelegenheit gegeben hat, daß man denselben verachte, sondern vielmehr aller rechtschaffenen Leute Liebe verdient.

Doch Fritsch zog sein Rücktrittsgesuch erst zurück, als Anna Amalia, nicht mehr Regentin, doch unbestrittene Autorität auch für ihn, an die Seite ihres Sohnes trat und, an das Pflichtgefühl ihres alten Dieners appellierend, Fritsch bat, seinen jungen Herrn nicht im Stich zu lassen. – Er wisse doch, schrieb sie dem Baron, wie sehr ihr der Ruhm ihres Sohnes am Herzen liege und wie sehr sie darauf hingearbeitet habe und noch täglich daran arbeite, daß der junge Fürst von Ehrenmännern umgeben sei. – «Wäre ich überzeugt, daß Goethe zu diesen kriechenden Geschöpfen gehört, denen kein anderes Interesse heilig ist als ihr eigenes, so würde ich die erste sein, gegen ihn aufzutreten.» Sie wolle, schrieb sie weiter, nicht von seinen Talenten, von seinem Genie sprechen, sie rede nur von seiner Moral. «Machen Sie Goethes Bekanntschaft!» bittet sie den Minister. «Suchen Sie ihn kennenzulernen! Sie wissen, daß ich meine Leute erst gehörig prüfe, bevor ich über sie urteile ...»

Acta

Titelblatt der Akte «Die Empörung mehrerer Chursächsischer Dorfschaften». Von Goethe beschriftet, 1790

III. «SCHWERER DIENSTE TÄGLICHE BEWAHRUNG»

IN DES HERZOGS CONSEIL

Goethe, Tagebuch 7.6.76 – Vormitt. Erklärung und weitläufig polit. Lied mit d. Herzog [d.h. die Ernennung zum Legationsrat!] –

Frau v. Stein, 17.6.76 – Um Ihnen, lieber Zimmermann, etwas Neues zu erzählen, so wissen Sie, daß Goethe endlich hier fest ist. – Vor einigen Tagen ist er zum Geheimen Legationsrat ernannt worden und sitzt im Conseil.

Goethe an Herder, 18.6.76 – Mir ist wie dem zweyten im Königreich so scheißig als dem ersten und die Verantwortung dazu, ob ich mich gleich nicht verantworte.

Goethe, Tagebuch 25.6.76 – Einführung. Schwur. Bey Hof gessen.

An Frau v. Stein, d. 27. Jun. Nachts. Ich schlafe beym Herzog und eh ich mich aufs Canapee streiche nur ein Wort des Danks für die Zeichnung. – *28. Morgends!* schon in Fränzgen und schwarzem Rock, erwartend des Conseils erhabene Sitzung.

Herzog Carl August – Guten morgen liebe Frau; Ich treibe mich ietz mit Göthen ins Conseil...

Goethe an Kestner, 9.7. – Liebe Kinder. Ich hab so vielerley von Stund zu Stund, das mich herumwirft. Ehmals waren meine eignen Gefühle, iezt sind neben denen noch die Verworrenheiten andrer Menschen, die ich tragen und zurecht legen muß. So viel nur: ich bleibe hier... Der Herzog, mit dem ich nun schon an die 9 Monate in der wahrsten und innigsten Seelen Verbindung stehe, hat mich endlich auch an seine Geschäfte gebunden, aus unsrer Liebschaft ist eine Ehe entstanden, die Gott segne.

Goethe an Merck, 22.1.76 – Meine Lage ist vorteilhaft genug, und die Herzogtümer Weimar und Eisenach immer ein Schauplatz, um zu versuchen, wie einem die Weltrolle zu Gesichte stünde...

An Lavater, 6.3.76 – Ich bin nun ganz eingeschifft auf der Woge der Welt – voll entschlossen: zu entdecken, gewinnen, streiten, scheitern, oder mich mit aller Ladung in die Luft zu sprengen.

Wieland, 16.5. – Goethe lebt und regiert und wütet und gibt Regenwetter und Sonnenschein, tour à tour. – Den 24. August. Alles geht so gut es kann, und die Welt, die soviel dummes Zeug von uns sagt und glaubt, hat groß Unrecht!

Das Schloß in Weimar · Kolorierter Stich von Georg Melchior Kraus, 1805

1 Montag

Verweilst du in der Welt, sie flieht als Traum,
Du reisest, ein Geschick bestimmt den Raum;
Nicht Hitze, Kälte nicht vermagst du fest zu halten,
Und was dir blüht, sogleich wird es veralten.

2 Dienstag

Kunst: eine andere Natur, auch geheimnisvoll, aber verständlicher; denn sie entspringt aus dem Verstande.

3 Mittwoch

Gib einigermaßen acht auf dich selbst, nimm Notiz von dir selbst, damit du gewahr werdest, wie du zu deinesgleichen und der Welt zu stehen kommst.

4 Donnerstag

Das ist's, worauf es ankommt, daß, wenn auch der Purpur abgelegt worden, noch sehr viel Großes, ja eigentlich das Beste übrig bleibe.

5 Freitag

Es bleibt wohl nichts weiter übrig, als zu tun, was unsere Vorfahren getan haben: nicht zu handeln und zu beobachten ohne zu denken, und nicht zu denken ohne zu handeln und zu beobachten...

6 Samstag

«Da reiten sie hin! wer hemmt den Lauf?»
Wer reitet denn? «Stolz und Unwissenheit.»
Laß sie reiten! da ist gute Zeit,
Schimpf und Schade sitzen hinten auf.

7 Sonntag

Wenn im Unendlichen dasselbe
Sich wiederholend ewig fließt,
Das tausendfältige Gewölbe
Sich kräftig ineinander schließt,
strömt Lebenslust aus allen Dingen,
Dem kleinsten wie dem größten Stern,
Und alles Drängen, alles Ringen
Ist ewige Ruh in Gott dem Herrn.

8 Montag

In Kunst und Wissenschaft, so wie im Tun und Handeln kommt alles darauf an, daß die Objekte rein aufgefaßt und ihrer Natur gemäß behandelt werden.

9 Dienstag

Der Mensch ohne Hülle ist eigentlich der Mensch.

10 Mittwoch

Den einzelnen Verkehrtheiten des Tags sollte man immer nur große weltgeschichtliche Massen entgegensetzen.

11 Donnerstag

Die Menschen sind wie das Rote Meer: der Stab hat sie kaum auseinander gehalten, gleich hintendrein fließen sie wieder zusammen.

12 Freitag

In der Jugend sieht man das Detail als Masse, die Masse als Detail; im Alter umgekehrt.

13 Samstag

Diese Göttin, sie heißt Gelegenheit, lernet sie kennen! Sie erscheinet euch oft, immer in andrer Gestalt.

14 Sonntag

Hast du die Welle gesehen, die über das Ufer einher schlug?
Siehe die zweite, sie kommt! rollet sich sprühend schon aus!
Gleich erhebt sich die dritte! Fürwahr, du erwartest vergebens,
Daß die letzte sich heut ruhig zu Füßen dir legt.

15 Montag

Einer, der immer wieder hören muß, was er längst beseitigt hat, fühlt ein Mißbehagen, das sich von Ungeduld zur Wut steigern kann.

16 Dienstag

Mannräuschlein nannte man im siebzehnten Jahrhundert gar ausdrucksvoll die Geliebte.

17 Mittwoch

Was hast du uns absurd genannt!
Absurd allein ist der Pedant.

18 Donnerstag

Ich irre nicht! die Schönheit führt auf rechte Bahn.

19 Freitag

Wer ist ein unbrauchbarer Mann?
Der nicht befehlen und auch nicht gehorchen kann.

20 Samstag

Aller Unterricht muß mangelhaft sein, der nicht durch Leute vom Metier erteilt wird.

21 Sonntag

Natürlich, mit Verstand
Sei du beflissen;
Was der Gescheite weiß,
Ist schwer zu wissen.

22 Montag

Das Wissen wird durch das Gewahrwerden seiner Lücken zur Wissenschaft geführt, welche vor, mit und nach allem Wissen besteht.

23 Dienstag

Zu des Lebens lustigem Sitz eignet sich ein jedes Land.

24 Mittwoch

Man würde viel Almosen geben, wenn man Augen hätte zu sehen, was eine empfangende Hand für ein schönes Bild macht.

25 Donnerstag

Die vernünftige Welt ist als ein großes unsterbliches Individuum zu betrachten, das unaufhaltsam das Notwendige bewirkt und sich sogar über das Zufällige zum Herrn macht.

26 Freitag

Wer sich der Liebe vertraut, hält er sein Leben zu Rat?

27 Samstag

Die guten Vorsätze im Menschen sind wie die Reinigung, Scheuerung und Schmückung an Sonn- und Ehrentagen. Man wird zwar immer wieder schmutzig, aber es ist doch gut, daß man durch solche partielle Reinigung die Reinlichkeit überhaupt nicht unmöglich macht.

28 Sonntag

Ursprünglich eignen Sinn
Laß dir nicht rauben!
Woran die Menge glaubt,
Ist leicht zu glauben.

29 Montag

Die Frage: «Woher hat's der Dichter?» geht auch nur auf's Was; vom Wie erfährt dabei niemand etwas.

30 Dienstag

Das Leben ist kurz, der Tag ist lang.

31 Mittwoch

Die früheren Jahrhunderte hatten ihre Ideen in Anschauungen der Phantasie; unseres bringt sie in Begriffe. Dort war die Produktionskraft größer, heute die Zerstörungskraft oder die Scheidekunst.

Goethe, Tagebuch, 13.1.1779 – Der Druck der Geschäfte ist sehr schön der Seele. Wenn sie entladen ist, spielt sie freyer und genießt des Lebens. Elender ist nichts, als der behagliche Mensch ohne Arbeit, das schönste der Gaben wird ihm ekel… *Den 8. Januar 1777* – Herzog wird mir immer näher und näher u Regen und rauher Wind rückt die Schaafe zusammen.
Den 9. Dezember 1778 Conseil. Leidig Gefühl der Adiaphorie so vieler wichtig seyn sollender Sachen.
Den 14. Dezember Feuer in der Schule. Indem man unverbesserliche Übel verbessern will, verliert man die Zeit und verdirbt noch mehr, statt daß man diese Mängel annehmen sollte gleichsam als Grundstoff.
Den 15. Dezember Ich bin nicht zu dieser Welt gemacht, wie man aus seinem Haus tritt, geht man auf lauter Koth… Viel Arbeit in mir selbst, zu viel Sinnens, daß Abends mein ganzes Wesen zwischen den Augenknochen sich zusammen zu drängen scheint. Hoffnung auf Leichtigkeit durch Gewohnheit. Bevorstehende neue EkelVerhältn. durch die KriegsComiss… Es wachsen täglich neue Beschwerden und niemals mehr, als wenn man Eine glaubt gehoben zu haben.
Den 14. Juli 1779 Machte früh meine Sachen zusammen. Dann Conseil. Mit Herzog und d. Prinzen gessen. Leidliche Erklärung zwischen den Brüdern. Nach Tisch alsdann auf die Kriegs Casse und Akten geordnet, dann nach Hause und gute Unterredung mit Batty. Wenn er handeln soll, greift er grad das an, was iezt nötig ist.
Den 25. Juli Das Elend wird mir nach und nach so prosaisch wie ein Kaminfeuer.

Den 25. Juni 1780 Ward Feuerlärm, ritt nach Großbrembach mitten in die Flammen, die Dürrung! Der Wind trieb grimmig. War um die Kirche beschäftigt. Versengten mir die Auglider und fing das Wasser mir in den Stiefeln an zu sieden. Hielten sich die Leute gut und thaten das Schickliche. Der Herzog kam und der Prinz. Das halbe Dorf brannte ganz hinunter mit dem Winde, wie ich ankam. Ging mit einem Husaren außen unterm Wind, kaum durchzukommen. Nach Mitternacht mußt ich ruhen, legte mich ins Wirtshaus über dem Wasser. Ein Husar wachte. Früh dem Pfarrer Quartier geschafft und herein nach Weimar. – Geschlafen, gelesen, geschrieben. Reise Marschall kam…

Was verkürzt mir die Zeit?
Tätigkeit!
Was macht sie unerträglich lang?
Müßiggang!
Was bringt in Schulden?
Harren und Dulden!
Was macht Gewinnen?
Nicht lange besinnen!
Was bringt zu Ehren?
Sich wehren!

Lakonisch vermerkt Goethes Tagebuch weiter durch die Jahre: «Akten», auch «Conseil» oder «Session». Dazwischen dann: «Immer weggearbeitet» oder «Hatt ich gute Blicke in Geschäften». Spuren des Regierungsalltags, der ihm seinen Stundenplan aufzwingt. Er, der frei wie ein Vogel lebte, ist eingespannt. Die Wirklichkeit, schwierig, zäh, dumpf, hat ihn in ihre Schule genommen. Nahezu alles, was im

Lande vorgeht, fordert seine Aufmerksamkeit, fällt in seine Verantwortung. Ihm untersteht die Bergwerks- und die Kriegskommission, die Kommission für Wege- und Wasserbau, schließlich auch das wichtige Finanzressort, die Kammer.

Aufgaben über Aufgaben! In Ilmenau wäre das Bergwerk, seit dem großen Dammbruch im Juli 1739 stillgelegt, in Gang zu setzen. Noch besteht Hoffnung, wieder Kupfer, vielleicht sogar Silber zu schürfen. Wie sich herausstellt, eine Sisyphusarbeit: schwierige Eigentumsverhältnisse, verpfitzte juristische Probleme, immer neue technische Komplikationen durch Jahrzehnte. – Vorschriften zur Feuerverhütung, Gedanken zu einer Brandversicherung sind zu formulieren; Feuerspritzen, Ziegeldächer statt des Strohbelags sollten beschafft werden. Der Brände rings in den Dörfern sind zu viele, der Schaden zu groß. – Straßen müßten gebaut, sie müßten zumindest ausgebessert, die Ufer der Saale und der Ilm müßten reguliert werden. – Modernere Methoden könnten der Landwirtschaft, könnten vielleicht der kümmerlichen Industrie aufhelfen. – Dann wieder eine Session über den Bierpfennig, eine nächste über den Fleischpfennig. Dazwischen kurioser Kleinkram: die Sache mit der Lederhose des desertierten Husaren, das Einsammeln der Sperlingsköpfe füllt je einen Aktendeckel; die Ruhlaer «Rauchhühner» (eine Naturalsteuer), ein Objekt von 3 Talern, 23 Groschen, 10 Pfennigen, nehmen bereits zweihundert Seiten in Anspruch.

Schien Goethe anfangs, wie er übermütig an Merck schrieb, das Herzogtum Weimar durchaus ein Platz, wo auszuprobieren war, wie ihm die Weltrolle zu Gesicht stünde, und rühmte er späterhin noch heiter den

Rekrutenaushebung · Bleistift und Feder mit Tusche von Goethe, 1779

«Druck der Geschäfte», so sah er sich doch gegen das Ende seiner Amtszeit gezwungen, sarkastisch festzustellen, daß man zwar in der Jugend sich zutraue, den Menschen Paläste zu bauen, wenn's dann aber um- und ankäme, habe man alle Hände voll zu tun, um ihren Mist beiseite zu bringen.

Willig hatte Goethe alle Plackerei auf sich genommen. Er hatte Akten gelesen, Relationen geschrieben, unter großen Mühen die Finanzen des Landes geordnet. Hatte Rekruten, so lästig ihm das Geschäft war, ausgehoben, die herzogliche «Armee» von 571 auf 323 Mann herabgesetzt. Beim Straßenbau, in der Wasser-, in der Landwirtschaft war da und dort ein bescheidener Anfang zu verzeichnen; 1784 konnte in Ilmenau der neue Johannesschacht niedergebracht werden. – Beim Blättern in Goethes Tagebuch aber, bei aufmerksamer Lektüre der «Meditationen», die das nüchterne Notat der Fakten unterbrechen und begleiten, verdichtet sich der Eindruck, daß Goethe die «Chance Weimar», die sich ihm, zunächst nur vage, im Gespräch mit Carl August im Winter 1774 bot, zielbewußt ergriffen und dann aber auch die Jahre im Dienst des Herzogs wie eine Kur gegen die bedrohliche Labilität seines Wesens gebraucht und als Kur entschlossen durchgehalten hatte. – Gefestigt und in allen Händeln dieser Welt hoch erfahren, ging er aus dieser Zeit hervor. Er kannte nicht nur den Stellenwert menschlicher Verhältnisse, kannte das Gewicht der Institutionen und Ämter, auch die Grillen, die Launen des eigenen Wesens, dieses hemmungslose Auf und Ab zwischen «Himmelhoch jauchzend, zu Tode betrübt» waren einer neuen Klarheit, einer neuen Balance der Kräfte gewichen.

Im harten Geschirr der Pflichten und Ämter lernte er Geduld und wieder Geduld. Er lernte Bestimmtheit und Konsequenz, lernte, wie er in den «Wahlverwandtschaften» dann formulieren sollte, daß «Geschäft» strikt vom «Leben» zu trennen sei. Das Geschäft verlange Ernst und Strenge, das Leben Willkür. Dem Geschäft gebühre reinste Folge, dem Leben dagegen tue eine Inkonsequenz oft not. Ja, sie erweise sich nicht selten als liebenswürdig und erheiternd. – Oder wie er im Dezember 1825, irritiert durch Kanzler Müllers Umständlichkeit, diesem tadelnd erklärte, Geschäfte müßten abstrakt, «nicht menschlich», nicht mit Neigung oder Abneigung, mit Leidenschaft oder Gunst behandelt werden. Dann setze man, erklärte er weiter, mehr und schneller durch. «Laconisch, imperativ, prägnant», sei die Devise. «Auch keine Rekriminationen, keine Vorwürfe über Vergangenes, nun doch nicht zu Änderndes. Jeder Tag bestehe für sich; wie könnte man leben, wenn man nicht jeden Tag sich und andern ein Absolutorium erteilte?»

1 Donnerstag

Zu verschweigen meinen Gewinn,
Muß ich die Menschen vermeiden;
Daß ich wisse, woran ich bin,
Das wollen die andern nicht leiden.

2 Freitag

Ich habe mich nie verrechnet, aber oft verzählt.

3 Samstag

Der Dichter wird als Mensch und Bürger sein Vaterland lieben, aber das Vaterland seiner poetischen Kräfte und seines poetischen Wirkens, ist das Gute, Edle und Schöne, das an keine besondere Provinz und an kein besonderes Land gebunden ist, und das ergreift und bildet er, wo er es findet.

Thüringer Bauernhütten · Lavierte Bleistiftzeichnung von Goethe, um 1780

4 Sonntag

Weit und schön ist die Welt, doch o wie dank' ich dem Himmel,
Daß ein Gärtchen, beschränkt, zierlich, mein eigen gehört.
Bringet mich wieder nach Hause! was hat ein Gärtner zu reisen?
Ehre bringt's ihm und Glück, wenn er sein Gärtchen versorgt.

5 Montag

Das Talent entwickelt im Praktischen alles und braucht von den theoretischen Einzelheiten nicht Notiz zu nehmen.

6 Dienstag

Wer mag denn gleich Vortreffliches hören?
Nur Mittelmäßige sollten lehren.

7 Mittwoch

Nicht Gelegenheit macht Diebe,
Sie ist selbst der größte Dieb.

8 Donnerstag

Ein Mensch zeigt nicht eher seinen Charakter, als wenn er von einem großen Menschen spricht. Es ist der rechte Probierstein aufs Kupfer.

9 Freitag

Sage nicht, daß du geben willst, sondern gib! Die Hoffnung befriedigst du nie.

10 Samstag

Doch, wo einzelne Gesellen
Zierlich miteinander streben,
Sich zum schönen Ganzen stellen,
Das ist Freude, das ist Leben.

11 Sonntag

Das Leben wohnt in jedem Sterne:
Er wandelt mit den andern gerne
Die selbsterwählte, reine Bahn;
Im innern Erdenball pulsieren
Die Kräfte, die zur Nacht uns führen
Und wieder zu dem Tag heran.

12 Montag

Unsere Zustände schreiben wir bald Gott, bald dem Teufel zu und fehlen stets. In uns selbst liegt das Rätsel, die wir Ausgeburt zweier Welten sind.

13 Dienstag

Besser laufen als faulen.

14 Mittwoch

In der Poesie gibt es keine Widersprüche. Diese sind nur in der wirklichen Welt, nicht in der Welt der Poesie. Was der Dichter schafft, das muß genommen werden, wie er es geschaffen hat. So wie er seine Welt gemacht hat, so ist sie.

15 Donnerstag

...nichts als Zeitvertreib ist die Liebe!

16 Freitag

Grau, teurer Freund, ist alle Theorie,
Und grün des Lebens goldner Baum.

17 Samstag

Wenn ein kluger Mann der Frau befiehlt,
Dann sei es um ein Großes gespielt;
Will die Frau dem Mann befehlen,
So muß sie das Große im Kleinen wählen.

18 Sonntag

Wenn sie aus deinem Korbe naschen,
Behalte noch etwas in der Taschen.

19 Montag

Man denkt immer nur ans Notwendige; man will sein und nicht scheinen. Das ist recht gut, so lange man etwas ist. Wenn aber zuletzt das Sein mit dem Scheinen sich zu empfehlen anfängt und der Schein noch flüchtiger als das Sein ist, so merkt denn doch ein jeder, daß er nicht übel getan hätte, das Äußere über dem Innern nicht ganz zu vernachlässigen.

20 Dienstag

Eifersucht ist Ahndung fremder Wahlverwandtschaft.

21 Mittwoch

Wenn man wohltätig sein will und weiter nichts, so kann das jeder für sich und am hellen Tage in seinem Hauskleid.

22 Donnerstag

Wer ist zum Richter bestellt? Nur der Bessere? Nein, wem das Gute
Über das Beste noch gilt, der ist zum Richter bestellt.

23 Freitag

Jeder Forscher muß sich durchaus ansehen als einer, der zu einer Jury berufen ist.

24 Samstag

Diese Worte sind nicht alle in Sachsen,
Noch auf meinem eignen Mist gewachsen;
Doch, was für Samen die Fremde bringt,
Erzog ich im Lande gut gedüngt.

25 Sonntag

«Wohin wir bei unsern Gebresten
Uns im Augenblick richten sollen?»
Denke nur immer an die Besten,
Sie mögen stecken, wo sie wollen.

26 Montag

Dem Einzelnen bleibe die Freiheit, sich mit dem zu beschäftigen, was ihn anzieht, was ihm Freude macht, aber das eigentliche Studium der Menschheit ist der Mensch.

27 Dienstag

Die Vernunft hat nur über das Lebendige Herrschaft.

28 Mittwoch · Goethes Geburtstag (1749)

Glücklich, wem doch Mutter Natur die rechte Gestalt gab!

29 Donnerstag

Es ist als ob ein Genius oft unser Hegemonikon verdunkelte, damit wir zu unsrem und andrer Vorteil Fehler machen.

30 Freitag

Bildsam ändre der Mensch selbst die bestimmte Gestalt.

31 Samstag

Der Mensch bedarf der Klarheit und der Aufheiterung, und es tut ihm not, daß er sich zu den Epochen wende, in denen vorzügliche Menschen zu vollendeter Bildung gelangten, so daß es ihnen selber wohl war und sie die Seligkeit ihrer Kultur wieder auf andere auszugießen imstande sind.

Goethe, Tagebuch, 17.4.1776 – Den Garten in Besitz genommen.

An Auguste Gräfin zu Stolberg, Mai 76 – Hab ein liebes Gärtgen vorm Thore an der Ilm schönen Wiesen in einem Thale, ist ein altes Hausgen drinne, das ich mir repariren lasse. Alles blüht, alle Vögel singen. – Sonnabends Nachts 10 in meinem Garten. Ich habe meinen Philipp nach Hause geschickt und will allein hier zum erstenmal schlafen. – Es geht gegen eilf, ich hab noch gesessen und einen englischen Garten gezeichnet. Es ist eine herrlich Empfindung dahausen im Feld allein zu sitzen. – Morgenfrühe wie schön. Alles ist so still. Ich höre nur meine Uhr tackken, und den Wind und das Wehr von ferne. – Ich habe lang geschlafen, wacht aber gegen vier auf, wie schön war das Grün dem Auge, das sich halbtrunken auftat.

Goethes Gartenhaus von der Rückseite · «Handzeichnung von Goethe aus der Verlaßenschaft I. K. H. Großherzogin Luise v. S.-Weimar», 1779/80

Goethe an Frau v. Stein, 19.5.1777 – Heut nacht hab ich auf meinem Altan unterm blauen Mantel geschlafen. Bin dreymal aufgewacht, um 12, 2 und 4 und jedesmal neue Herrlichkeit des Himmels um mich.

Wieland, 8.11. – Ich war gestern nachmittag bei Goethen auf seinem Altan. Kein lieberes, sich wärmer an einen anlegendes, oder, wie die Schwaben sagen, ein mehr anheimelndes Plätzchen auf Gottes Boden müssen Sie nie gesehen haben. Es ist so recht, als ob Goethens Genius das alles von Jahrhunderten her so angelegt, gepflanzt und gepflegt hätte, damit er's einst in Weimar völlig und fertig fände.

Goethe an Frau v. Stein, 5.7.1780 – Wenn Sie nur meine Rosen sehen sollten, und genießen sollten den Geruch des Jelänger Jelieber und den Duft heut nach dem Regen, und das frische Grün von der gemähten Wiese und den Erdbeeren.

An Lavater, 9.4.1781 – Die nächsten Wochen des Frühlings sind mir gesegnet. Jeden Morgen empfängt mich eine neue Blume und Knospe. Die stille, reine, immer wieder kehrende leidenlose Vegetation, tröstet mich oft über der Menschen Not, ihre moralischen, noch mehr über ihre physischen Uebel hinweg.

An Auguste Gräfin zu Stolberg, 17.7.1777

Alles gaben Götter die unendlichen
Ihren Lieblingen ganz
Alle Freuden die unendlichen
Alle Schmerzen die unendlichen ganz

So sang ich neulich, als ich tief in einer herrlichen Mondnacht aus dem Flusse stieg, der vor meinem Haus durch die Wiesen fließt; und das bewahrheitet sich täglich an mir.

V. VIELERLEI BEDRÄNGNIS

EINE BEKEHRUNG

Goethe, Dichtung und Wahrheit, 15. Buch – Nach manchen Hin- und Widerreden über diesen Gegenstand (Goethes für Wieland so ärgerliche Posse «Götter, Helden und Wieland») ward ich endlich von den Weimarer Prinzen und ihrer Suite veranlaßt, Wieland einen freundlichen Brief, der als Entschuldigung gelten mochte, zu schreiben...

Carl Bertuch, Tagebuch, 14. 10. 1809 – Nach Erinnerung meines Vaters war, was dann Goethe in Mainz schrieb, ein «launiges Billet», mit der Versicherung, daß ihm die Bratwürste mit den Prinzchen vortrefflich schmeckten und er und die Prinzen wünschten, Wieland wäre dabei!

Wieland an Knebel, 24. 12. 1774 – Goethe m'a écrit une petite lettre, qui au premier moment m'a fait une surprise par une air de naiveté qu'elle porte; cependant après l'avoir bien lue et relue, j'ai vu: que le Seigneur Goethe n'a eu d'autre idée que de se mocquer de moy. – Den 13. Januar 1775 – Verzeihen Sie mir, lieber Freund, das unartige Zeug, das ich Ihnen letzthin in einem hypochondrischen Anstoß über Goethe schrieb. Ich bin inzwischen radicaliter von allem Mißmut gegen diesen sonderbaren großen Sterblichen geheilt worden. Über kurz oder lang werde ich ihn persönlich kennenlernen.

An Lavater, 10. 11. – Ich *muß* Ihnen sagen, daß seit letzten Dienstag Goethe bei uns ist und daß ich den herrlichen Menschen binnen dieser drei Tage so herzlich liebgewonnen habe, so ganz durchschaue, fühle und begreife, so ganz voll von ihm bin – wie Sie besser sich selbst vorstellen, als ich Ihnen beschreiben könnte...

An Auguste v. Keller, 21.12. – Darf ich Ihnen einen der herrlichsten, größten, besten Menschen, *meinen* Goethe, mitbringen? Den ich so stolz, und doch unendlich mehr glückselig als stolz bin, *mein* zu nennen! Seine Gegenwart ist der trefflichste Kommentar seiner Schriften. Wir kommen an einem der ersten Tage des Jänners, zwischen den 2. und 6.

Julie v. Bechtolsheim, 19.2.1776 – Nous passâmes trois jours délicieux avec Wieland et Goethe. Wieland a éternisé ce séjour à Stedten par un petit poème à Psyche (c.-à-d. à Maman).

O welche Gesichte, welche Szenen
Hieß er vor unsern Augen entstehn?
Wir *wähnten nicht* zu hören, zu sehn,
Wir *sahn!* Wer malt wie er? So schön,
Und immer ohne zu verschönen!
So wunderbarlich wahr! So neu,
Und dennoch Zug um Zug so treu?
Doch wie, was sag ich *malen*? Er *schafft*,
Mit wahrer mächtiger Schöpferkraft
Erschafft er *Menschen*; sie atmen, sie streben!
In ihren innersten Fasern ist Leben!
Und jedes so ganz Es *Selbst*, so rein!
Könnte nie etwas anders sein!
Ist immer echter *Mensch der Natur*,
Nie Hirngespinst, nie Karikatur,
Nie kahles Gerippe von Schulmoral,
Nie überspanntes Ideal!

Goethe an Herder, 12. 12. 1775 – Lieber Bruder, der Herzog bedarf eines General Superintendenten, hättest du die Zeit her deinen Plan auf Göttingen geändert, wäre hier in Weimar wohl was zu tun. Schreib ein Wort.
An Lavater, 21. 12. – Der Herzog trug mir auf, auch dich zu fragen, wen du, wenn Herder doch nach Göttingen ginge, noch vorschlagen könntest? Sag mir also schnell ein Wort hierüber. – Ich bin hier wie unter den Meinigen, und der Herzog wird mir täglich werter und wir einander täglich verbundner.
An Herder, d. lezten des Jahrs 75 – Glaub und harre noch wenige Tage der Prüfung.
Den 2ten 76 – Heute kann ich dir schon Hoffnung geben, was ich vorgestern nicht konnte – der Statthalter von Erfurt hat das beste von dir gesagt, und bestätigt dem jungen Fürsten deinen Geist und deine Kraft. Ich habe für deine politische Klugheit in geistlichen Dingen gut gesagt, denn der Herzog will absolut keine Pfaffen-Trakasserien über Orthodoxie und den Teufel. – Ich wünsche dich meinem Herzog und ihn dir. Es wird euch beyden wohl tun. Leb wohl! Wie die Sache rückt, sollst du Nachricht haben. Zerreiss meine Zettel wie ich gewissenhaft die deinigen.
Den 7. Januar 76 – Lieber Bruder, nenne mir nur *einen* einzigen Theologen, der einen *rechtgläubigen* Namen hat und der, wenn man ihn fragte, Guts von dir sagte. Befolge, was ich Dir schreibe als *Commando* und glaub, daß alles durchgedacht – durchempfunden ist.
Den 15. Januar – Antworte mir schnell. Wie stehst du

(Fortsetzung S. 100)

SEPTEMBER

1 Sonntag

Tadle nur nicht! Was tadelst du nur!
Bist mit Laternen auf der Spur
Dem Menschen, den sie nimmer finden!
Was willst, ihn zu suchen, dich unterwinden?

2 Montag

Wie in Rom außer den Römern noch ein Volk von Statuen war, so ist außer dieser realen Welt noch eine Welt des Wahns, viel mächtiger beinahe, in der die meisten leben.

3 Dienstag

Ich muß nichts wieder unternehmen, was außer dem Kreise meiner Fähigkeit liegt, wo ich mich nur abarbeite und nichts fruchte.

4 Mittwoch

Das Wahre kann bloß durch seine Geschichte erhoben und erhalten, das Falsche bloß durch seine Geschichte erniedrigt und zerstreut werden.

5 Donnerstag

«Du hast nicht *recht!» Das mag wohl sein;*
Doch das zu sagen, ist klein;
Habe mehr recht als ich! das wird was sein.

6 Freitag

Der Wolf im Schafspelze ist weniger gefährlich, als das Schaf in irgendeinem Pelze, wo man es für mehr als einen Schöps nimmt.

7 Samstag

Im Auslegen seid frisch und munter!
Legt ihrs nicht aus, so legt was unter.

8 Sonntag

X hat sich nie des Wahren beflissen,
Im Widerspruche fand ers;
Nun glaubt er alles besser zu wissen,
Und weiß es nur anders.

9 Montag

Den Reichtum muß der Neid beteuern,
Denn er kreucht nie in leere Scheuern.

10 Dienstag

Die Kunst ist eine Vermittlerin des Unaussprechlichen; darum scheint es Torheit, sie wieder durch Worte vermitteln zu wollen.

11 Mittwoch

Das Alter kann kein größeres Glück empfinden, als daß es sich in die Jugend hineinwachsen fühlt und mit ihr fortwächst.

12 Donnerstag

Zufall aber bleibt verhaßt.

13 Freitag

Die Reflexion führt darum so leicht aufs Unrichtige, aufs Falsche, weil sie eine einzelne Erscheinung, eine Einzelheit zur Idee erheben möchte, aus der sie alles ableitet.

14 Samstag · Jüdisches Neujahr

Umstülpen führt nicht ins Weite;
Wir kehren, frank und froh,
Den Strumpf auf die linke Seite
Und tragen ihn so.

15 Sonntag

Ja, das ist das rechte Gleis,
Daß man nicht weiß,
Was man denkt,
Wenn man denkt;
Alles ist als wie geschenkt.

16 Montag

Manche sind auf das, was sie wissen, stolz; gegen das, was sie nicht wissen, hoffärtig.

17 Dienstag

Denn das irdische Gefilde schattet oft nach eignem Sinn.

18 Mittwoch

Briefe hebt man auf, um sie nie wieder zu lesen; man zerstört sie zuletzt aus Diskretion und so verschwindet der schönste und unmittelbarste Lebenshauch unwiederbringlich für uns und andere.

19 Donnerstag

Man soll sich vor einem Talente hüten, das man in Vollkommenheit auszuüben nicht Hoffnung hat.

20 Freitag

Was hilft es mir, daß ich genieße?
Wie Träume fliehn die wärmsten Küsse,
Und alle Freude wie ein Kuß.

21 Samstag

Kaum hatt ich mich in die Welt gespielt
Und fing an aufzutauchen,
Als man mich schon so vornehm hielt,
Mich zu mißbrauchen.

22 Sonntag · Herbstanfang

Es liegen im Wein allerdings produktivmachende Kräfte sehr bedeutender Art; aber es kommt dabei allein auf Zustände und Zeit und Stunde an, und was dem einen nützet, schadet dem andern.

23 Montag · Jüdisches Versöhnungsfest

Ein guter Rat ist auch nicht zu verschmähn.

24 Dienstag

Der Mensch ist nicht bloß ein denkendes, er ist zugleich ein empfindendes Wesen. Er ist ein Ganzes, eine Einheit vielfacher, innig verbundener Kräfte.

25 Mittwoch

Seit sechzig Jahren seh ich gröblich irren
Und irre derb mit drein;
Da Labyrinthe nun das Labyrinth verwirren,
Wo soll euch Ariadne sein?

26 Donnerstag

Habt ihr gelogen in Wort und Schrift,
Andern ist es und euch ein Gift.

27 Freitag

Ist denn das bürgerliche Leben so viel wert, oder verschlingen die Bedürfnisse des Tags den Menschen so ganz, daß er jede schöne Forderung von sich ablehnen will?

28 Samstag · Laubhütten Anfang

Man muß sein Glaubensbekenntnis von Zeit zu Zeit wiederholen, aussprechen, was man billigt, was man verdammt; der Gegenteil läßt's ja auch nicht daran fehlen.

29 Sonntag

Was uns irgend Großes, Schönes, Bedeutendes begegnet, muß nicht erst von außen her wieder erinnert, gleichsam erjagt werden; es muß sich vielmehr von Anfang her in unser Inneres verweben, mit ihm eins werden, ein neueres, besseres Ich in uns erzeugen und so ewig bildend in uns fortleben und schaffen.

30 Montag

Gut verloren – etwas verloren!
Mußt rasch dich besinnen
Und neues gewinnen.
Ehre verloren – viel verloren!
Mußt Ruhm gewinnen,
Da werden die Leute sich anders besinnen.
Mut verloren – alles verloren!
Da wär es besser, nicht geboren.

Türgriff am Eingang zum Goethehaus am Frauenplan

mit Jerusalem. Ein guter Brief von ihm würde viel tun. Lieber Bruder, wir habens von jeher mit den Scheißkerlen verdorben, und die Scheißkerle sizzen überall auf dem Fasse. Der Herzog will und wünscht dich, aber alles ist hier gegen dich. Indess ist hier die Rede von Einrichtung auf ein gut Leben und 2000 Taler Einkünfte. Ich lass nit los, wenns nit gar dumm geht. Leb wohl und siegle die Briefe wohl und gib auf die Siegel der meinigen acht.

Den 24. Januar 76 – Bruder sey ruhig, ich brauch der *Zeugnisse* nicht, habe mit trefflichen Hetzpeitschen die Kerls zusammengetrieben, und es kann nicht mehr lang stocken, so hast du den Ruf. – Ich will dir ein Pläzgen sichren, daß du gleich hier sollst die Zügel zur Hand nehmen. Wenn ich das rein hab, dann ist mirs auf eine Weile wohl; denn mit mir ists aufgestanden und schlafen gangen, das Projekt. – Unser Herzog ist ein goldner Junge. Die Herzoginnen wünschen dich auch. – Vielleicht kriegst du den Ruf mit dieser Post schon.

Den 18. Juni – Es zerrt die Pfaffen verflucht, daß das, was so lang unter sie verteilt war, nun einer allein haben soll…

Wieland an Lavater, 16. 2. – Was sagen Sie dazu, daß Herder als General Superintendent nach Weimar kömmt – nach Weimar! Vor zwei Tagen hat er den Ruf angenommen!

Goethe an Herder, 5. 7. – Lieber Bruder, heut war ich in der Superintendur, wo Rat Seidler mit einem Schwanz von 10 Kindern nach und nach ausmistet. Ich hab gleich veranstaltet, daß wenigstens das obre Stock repariert werde. – Kommt also, sobald ihr könnt und wollt.

Lieber Bruder, der Augenblick des Zeugens ist herrlich, das Tragen und Gebären beschwerlich, so aber geboren

ist, Freude. So wird's auch seyn, wenn du als General Superintendent geboren bist. Leb wohl. Du findst viel liebes Volk hier, das dein offen erwartet. Du brauchst nur zu seyn, wie du bist, das ist ietzt hier Politik.
Den 10. Juli – Hier ein Brief. Schreib mir doch, lieber Bruder, wie du kommst. Schreib mir, wie dirs mit Meubels gehn wird, du kommst in ein leeres Haus. Es ist

Die Herderkanzel in St. Peter und Paul

noch ganz gut gebaut, hat einen großen Garten, in dem die Igel brüten... Mit dem Detail der Reparatur schinden sie mich noch was ehrlichs. Da hat der Gottskasten kein Geld, da sollen die alten Fenster bleiben, da ist der ein Schlingel und jener ein Maz. Und so gehts durch... Und, Bruder, war auch zum erstemal in der Kirche. Ich dachte, dir wirds schon wohl werden, Alter, wenn du da oben stehst, und rechts in dem Chor des unglücklichen Johann Friedrich Grab [der 1547 durch den Verlust der Schlacht von Mühlberg Kurwürde und Kurland verlor], und seinen Nachkommen, den besten Jungen, unsern Herzog, gegen dir über, der wohl wert wäre, daß das Schicksal ihm wieder gäb, was es jenem nahm. Und Herzog Bernhards Grab in der Ecke und all der braven Sachsen Gräber herum und auf des Altar-Blatts Flügel den Johann Friedrich wieder in Andacht und die Seinen von seinem Cranach und in der Sacristey Luther in drey Perioden von Cranach, immer ganz Luther und ein ganzer Kerl. Ganz Mönch, ganz Ritter und ganz Lehrer. – – Das wusch mich wieder von allem Staub und so reinige uns der heilige Geist von allem Skwal, eh er fingers dick auf uns sitzt wie auf den Gräbern der Helden. Addio.

Wieland an Merck, 7.10.1776 – Herder und seine liebe Eva sind nun seit sieben Tagen auch hier. Mein Herz flog ihm beim ersten Anblick mächtig entgegen. Sooft ich ihn ansehe, möcht ich ihn zum Statthalter Christi und Oberhaupt der Ecclesia Catholica machen. Weimar ist sein nicht wert, aber wenn ihm nur leidlich wohl bei uns sein kann, so ist Weimar so gut als ein anderer Ort. – Und wenn Goethes Idee stattfindet, so wird doch dieses Weimar noch der Berg Ararat, wo die guten Menschen Fuß fassen können...

Gestützt auf des Herzogs Machtwort, gestützt auch auf der Herzoginnen freundschaftlichen Beistand, hatte Goethe, jeden Widerstand beiseite räumend, mit Aplomb Herder den Weg gebahnt. Fortan gehörte dieser unkonventionelle, dieser hoch inspirierte, unruhig nach allen Seiten hin ausgreifende Geist, gehörte dieser Stimmführer einer neuen Generation zu Weimar. Sein Dasein, sein Wirken verwandelte das geistige Klima der Stadt, bedeutete rundum Auffrischung und Bereicherung.

Herder selbst, der Schwierig-Anspruchsvolle, war entzückt, war enchantiert. Triumphierend schreibt er Freunden in Riga, «er sei allgemein beliebt und geehrt bei Hofe, dem Volk, den Großen», und Lavater spricht er, spürbar beeindruckt, von der Zahl, von der Würde und Wichtigkeit seiner Ämter. – Ein gutes Jahr später jedoch gesteht er Gleim, daß er unter der Last der «austrocknenden, der verzehrenden Geschäfte» nahezu erliege, und wieder im Jahr danach, er krieche wie eine Schnecke unterm geistlichen Harnisch daher, komme dabei kaum von der Stelle und finde wenig, das ihn labe.

Ihm, dem Generalsuperintendenten, unterstand das gesamte Kirchen- und Schulwesen des Landes: ein schwer durchschaubares, in Aufgabe, Ziel und Zweck divergierendes Konglomerat an Ämtern, Institutionen und Einrichtungen. Noch dazu im Einzelnen und Ganzen der Reform dringend bedürftig. Das wußte und das belastete Herder. – Doch das Gremium, das ihn in diesen langwierigen und mühseligen Unternehmungen hätte stützen müssen, das Konsistorium (eben jene «Scheißkerle», die Goethe übermütig mit Hetzpeitschen hatte treiben wollen!!) versagte jede Hilfe. Für diesen konservativen Zirkel, ehrbar, altväterisch-fromm, blieb Herder der Freigeist, der Eindringling, der störte, dem man gründlich mißtraute.

Carl August aber und Goethe, die von seiner Universalität, seiner geistigen Beweglichkeit immer neue Anregung und Belebung erwarteten, interessierte kaum der Kirchenmann mit seinen begrenzten Aufgaben und Nöten. – Herder war, was niemand gewollt noch vorausgesehen hatte, heillos zwischen die Fronten geraten. Den einen schien er zu freisinnig, den andern war er nicht freisinnig genug. Es hätte des Gleichmuts, der Geduld, es hätte einer biegsamen Beharrlichkeit, es hätte auch eines Quentchens Freundlichkeit bedurft, um in dieser fatalen Situation, Schritt um Schritt, Boden zu gewinnen. – Herder aber nahm übel; er reagierte gekränkt. Vor allem gekränkt, daß

Blick auf die Herderkirche · Stich nach einer Zeichnung von Karl Hummel, 1840

der, den er immer noch geneigt war, aus alten Straßburger Tagen, als seinen Schüler zu betrachten, ihn überholt hatte. Gekränkt, daß Goethe und nicht er es war, der das Vertrauen des Herzogs besaß und in dem kleinen Staatswesen (an ihm vorbei) scheinbar mühelos aufstieg. Zornig berichtet er im Juli 1782 Freund Hamann, daß Goethe zum Kammerpräsidenten ernannt sei, zwar ohne den offiziellen Titel, der für ihn, wie er bissig anmerkt, ohne Zweifel auch als Appendix zu klein wäre. Er sei nun also «Wirklicher Geheimer Rat, Kammerpräsident, Präsident des Kriegscollegii, Aufseher des Bauwesens bis zum Wegbau hinunter, dabei auch Directeur des Plaisirs, Hofpoet, Verfasser von schönen Festivitäten, Hofopern, Balletts, Redouten. «Selbst überall», wie Herder spöttisch unterstreicht, «der erste Akteur, Tänzer, kurz das fac totum des Weimarischen und, so Gott will, bald der maior domus sämtlicher Ernestinischer Häuser, bei denen er zur Anbetung umherzieht». Außerdem sei Goethe baronisiert und mache ein adlig Haus, halte Lesegesellschaften, die sich aber bald, wie Herder hämisch vermutet, «in Assembleen verwandeln werden».

Geflissentlich zog sich Herder in ein maulendes Schweigen zurück, so daß Goethe, der erstaunt-bekümmert die Abkapselung des Mannes sah, den er mit so fröhlichem Eifer in seine Umgebung gezogen hatte, ihn durch Charlotte von Stein halb ärgerlich, halb munter als «seinen Bruder nicht in Christo, sondern in der Unart und Unbetulichkeit» grüßen ließ. – Herder aber, tief verquält, blieb dabei, daß er «eingeklemmt in das einsame Wirrwarr und geistliche Sisyphus-Handwerk», in dem er hier lebe, an allem ermatte und kaum mehr an sich selbst teilnehme.

Caroline Herder, 7. 9. 1783 – Ende August war Gottfrieds und Goethes Geburtstag. Den letzteren haben wir, den Tag selbst, bei ihm bei Tee und Soupée gefeiert. – Er ist und bleibt ein edler Mensch, und man muß ihn lieben.
Gleim an Herder, 14. 9. – Ich hörte von Goethen, daß Ihr Euch alle wieder besser befändet!
Caroline Herder, 14. 12. – Mit Goethe, der Frau von Stein, Frau von Schardt haben wir öfters angenehme Abendstunden. Unser Horizont fängt an, heller, sanfter und ruhiger zu werden. Goethe ist herzlich gut gegen meinen Mann, und diese Gemütsverfassung ist beiden Balsam aufs geknickte Herz – denn Goethe leidet noch mehr als mein Mann.

(Fortsetzung S. 112)

Johann Gottfried Herder · Ölbild von Anton Graff, 1785

OKTOBER

1 Dienstag

Keinen Reimer wird man finden,
Der sich nicht den besten hielte,
Keinen Fiedler, der nicht lieber
Eigne Melodien spielte.

2 Mittwoch

Ich achte das Leben höher als die Kunst, die es nur verschönert.

3 Donnerstag · Tag der deutschen Einheit

Weite Welt und breites Leben,
Langer Jahre redlich Streben,
Stets geforscht und stets gegründet,
Nie geschlossen, oft geründet,
Ältestes bewahrt mit Treue,
Freundlich aufgefaßtes Neue,
Heitern Sinn und reine Zwecke:
Nun! man kommt wohl eine Strecke.

4 Freitag

Entweicht, wo düstre Dummheit gerne schweift,
Inbrünstig aufnimmt, was sie nicht begreift,
Wo Schreckens-Märchen schleichen, stutzend fliehn
Und unermeßlich Maße lang sich ziehn.

5 Samstag · Laubhütten Ende

Die reinste Freude, die man an einer geliebten Person finden kann, ist die, zu sehen, daß sie andere erfreut.

6 Sonntag · Erntedank

Das Tüchtige, und wenn auch falsch,
Wirkt Tag für Tag, von Haus zu Haus;
Das Tüchtige, wenns wahrhaft ist,
Wirkt über alle Zeiten hinaus.

7 Montag

Geist und Sinn stumpfen sich so leicht gegen das Schöne und Vollkommene ab, daß man die Fähigkeit es zu empfinden, sich auf alle Weise erhalten sollte.

8 Dienstag

«Ich bin ein armer Mann,
Schätze mich aber nicht gering.»
Die Armut ist ein ehrlich Ding,
Wer mit umgehn kann.

9 Mittwoch

Worte sind der Seele Bild.

10 Donnerstag

Wer vorwärts will, mache sich deutlich, daß nur ein ruhiges Gegenwirken die Hindernisse, obgleich spät, doch endlich überwindet.

11 Freitag

Wein macht munter geistreichen Mann;
Weihrauch ohne Feuer man nicht riechen kann.

12 Samstag

Hat Welscher-Hahn an seinem Kropf,
Storch an dem Langhals Freude;
Der Kessel schilt den Ofentopf,
Schwarz sind sie alle beide.

13 Sonntag

«Wie ist dirs doch so balde
Zur Ehr und Schmach gediehn?»
Blieb' der Wolf im Walde,
So würd er nicht beschrien.

14 Montag

Wie leicht ist es, jemand zu kränken, wenn man ihn in heiteren offenen Augenblicken an seine Mängel mit einem scharfen, treffenden, geistreichen Wort erinnert!

15 Dienstag

Wenn auch der Held sich selbst genug ist,
Verbunden geht es doch geschwinder;
Und wenn der Überwundne klug ist,
Gesellt er sich zum Überwinder.

16 Mittwoch

Aus dem moralischen Standpunkt kann man keine Weltgeschichte schreiben.

17 Donnerstag

Wie ungern tritt man nach einer Krankheit vor den Spiegel! Die Besserung fühlt man, doch man sieht die Wirkung des vergangenen Übels.

18 Freitag

Jeder große Künstler reißt uns weg, steckt uns an!

19 Samstag

Ich neide nichts, ich laß es gehn
Und kann mich immer manchem gleich erhalten;
Zahnreihen aber, junge, neidlos anzusehn,
Das ist die größte Prüfung mein, des Alten.

20 Sonntag

Wie einer denkt, ist einerlei,
Was einer tut, ist zweierlei;
Macht ers gut, so ist es recht;
Gerät es nicht, so bleibt es schlecht.

21 Montag

Selbst das geringste Kunstwerk muß der Meister machen, wenn es echt und recht werden soll.

22 Dienstag

Mit diesen Menschen umzugehn,
Ist wahrlich keine große Last:
Sie werden dich recht gut verstehn,
Wenn du sie nur zum besten hast.

23 Mittwoch

Die Kunst ist lange bildend, eh sie schön ist.

24 Donnerstag

Derjenige, der's allen andern zuvortun will, betrügt sich meist selbst; er tut nur alles, was er kann, und bildet sich dann gefällig vor, das sei so viel und mehr als das, was alle können.

25 Freitag

Mut und Bescheidenheit sind die zwei unzweideutigsten Tugenden.

26 Samstag

Magst du einmal mich hintergehen,
Merk ichs, so laß ichs wohl geschehen;
Gestehst du mirs aber ins Gesicht,
In meinem Leben verzeih ichs nicht.

27 Sonntag

Efeu und ein zärtlich Gemüt
Heftet sich an und grünt und blüht.
Kann es weder Stamm noch Mauer finden,
Es muß verdorren, es muß verschwinden.

28 Montag

Liebe will ich liebend loben,
Jede Form, sie kommt von oben.

29 Dienstag

Eine richtige Antwort ist wie ein lieblicher Kuß.

30 Mittwoch

Wer recht will tun, immer und mit Lust,
Der hege wahre Liebe in Sinn und Brust.

31 Donnerstag · Reformationsfest

Die Leute traktieren Gott, als wäre das unbegreifliche, gar nicht auszudenkende höchste Wesen nicht viel mehr als ihresgleichen. Sie würden sonst nicht sagen: der Herr Gott, der liebe Gott, der gute Gott. Er wird ihnen, besonders den Geistlichen, die ihn täglich im Munde führen, zu einer Phrase, zu einem bloßen Namen, wobei sie sich auch gar nichts denken. Wären sie aber durchdrungen von seiner Größe, sie würden verstummen und ihn vor Ehrfurcht nicht nennen können.

Herder an Hamann, 10. 5. 1784 – Hier haben Sie, liebster, bester ältester Freund, den ersten Teil meiner neugebackenen Philosophie der Geschichte...
Keine Schrift in meinem Leben habe ich unter so vielen Kümmernissen und Ermattungen von innen und Turbationen von außen geschrieben, als diese; so daß, wenn meine Frau, die eigentlich Autor autoris meiner Schriften ist, und Goethe, der durch einen Zufall das erste Buch zu sehen bekam, mich nicht unablässig ermuntert und getrieben hätten, alles im Hades des Ungebornen geblieben wäre...
Den Winter über hat sich Goethe, der auch in seiner Seele, aber großmütiger als ich, leidet, sehr freundlich und mit seiner alten Biedertreue zu uns getan!
An Herzogin Anna Amalia – Goethe ist ein wahrer Genius in seinen Geschäften und ein Engel in der Freundschaft. Die Nachbarschaft mit ihm tat meinem Herzen so wohl, daß ich mich wie unter seinem Schatten erquickte.

Daß alle Entfremdung zwischen ihm und Herder geschwunden war, preist Goethe im Dezember 1783 Lavater als eine der «vorzüglichsten Glückseligkeiten seines Lebens», und Schiller berichtet im Juli 1787 an Körner, daß «Herder Goethen mit Leidenschaft, mit einer Art Vergötterung liebe». – Für beide wird das Leben nun reicher und leichter. Gestützt auf den Freund, schwinden für Herder selbst im Bereich der Verwaltungsarbeit viele Probleme, und ihm gelingt, wenn auch im bescheidenen Weimarer Maßstab, in Kirche und Schule Reformen durchzusetzen, die er bis dahin vergeblich plante. – Goethe aber genießt die Zugehörigkeit zu des Freundes Familie und Haus. Mit

Caroline verbindet ihn seit frühen gemeinsamen Tagen in Darmstadt eine gute Zutraulichkeit; das Wachsen und Gedeihen der Herderschen Kinder beschäftigt und freut ihn, und Herders Freunde, darunter originelle Figuren wie August von Einsiedel oder Prinz August von Gotha, beide im Haus des Ersten Geistlichen wohlgelittene Agnostiker, wenn nicht Atheisten, beide geistreich, amüsant bis skurril, sind wie Knebel, Wieland oder Jean Paul auch seine Freunde. Neben ihnen, den Kreis auflockernd, die Damen: in zierlichster Verliebtheit Sophie von Schardt, exaltiert Emilie von Berlepsch oder schwärmerisch verloren Charlotte von Kalb, alle fasziniert von Herder, diesem Philosophen, diesem Kirchenmann, den sie sich zum Seelenführer, Seelenberater erwählten: Damen, mit denen auch Goethe, wenn auch etwas distanzierter, gern umging.

Als Goethe im Dezember 1783 Lavater von seiner Freude schrieb, Herder wiedergewonnen zu haben, und nur bedauerte, daß «sich nicht früher alles gelöst», hatte er frohgewiß hinzugefügt: «dafür ists aber auch für immer, und mir eine freudige Aussicht!» – Das schien möglich. Die Freunde teilten, als Goethe nach Italien aufbrach, weiterhin Arbeit und Interessen; Herder seinerseits lehnte, von seiner Italienfahrt zurück, endgültig den Ruf der Universität Göttingen ab. Seine Schulden wurden getilgt, die Einkünfte auf 2000 Taler im Jahr erhöht, seine Amtspflichten erleichtert, die Ausbildung und Versorgung der Söhne zugesagt. – Goethe, der Herzog, die Herzoginnen, alle waren glücklich, diesen Mann, dessen lebhaften Geist sie so sehr schätzten, wieder fest an Weimar gebunden zu haben.

Caroline Herder, 27. 10. 1794 – Liebster Freund, das liegt mir schon Jahr und Tag auf dem Herzen. Aber *wem* sagen und *wem* klagen? Keiner hat Sinn dafür!
Ach, wie ist meines Mannes Leben und Existenz verdorben, verschoben, verbittert worden. Seine besten Kräfte und Neigungen muß er gegen unbedeutende Arbeiten in diesem Amt unterdrücken...
Schiller an Körner, 1. 5. 1797 – Was mir an Herder fatal und wirklich ekelhaft ist, das ist die feige Schlaffheit bei einem innern Trotz und Heftigkeit. Goethe hat er über seinen «Meister» die kränkendsten Dinge gesagt. Gegen Kant hat er das größte Gift auf dem Herzen, aber er wagt sich nicht recht heraus, weil er sich vor unangenehmen Wahrheiten fürchtet. Er beißt nur in die Waden.

Herder und seine Frau Caroline beim Frühstück

Jean Paul an Otto, 27. 1. 1799 – Als ich zu einem Diner bei Goethe geladen war, saß ich zur Rechten Goethes, Herder zur Linken, der ihm aber kein Ölblatt, geschweige einen Ölzweig des Friedens, den Goethe gerne schlösse, reichte…

Den 14. August 1800 – Über Herders Parteilichkeit steigt nichts! Steht in irgendeinem Journal etwas gegen Goethe oder gar Schiller, so wirds gepriesen und eifrig herumgereicht…

Caroline Herder an Knebel, 15. 11. – O könnte Goethe nur etwas Gemüt seinen Schöpfungen geben, und sähe man nicht überall eine Art von Buhlerei oder, wie er es selbst so gern nennt, das «betuliche Wesen» darinnen! Was hätte er seiner Nation werden können! Trauern muß man um diesen seltenen Genius! Nie weiß man, wie man mit seinen Stücken dran ist, ob er das Rechte oder das Falsche, ob er diesem oder jenem das Wort redet. O Sophokles, welch einen *sichern* Maßstab hattest du!

Am 21. Januar 1801 – Herder hat Goethe einen Krankenbesuch gemacht, fand aber leider den Herzog und Schiller da. Ein solcher Dreiklang war seiner Natur fremd, ungewohnt. Er kam verstimmt nach Hause.

Böttiger, den 7. 1. 1801 – Herder ist seit einigen Jahren Goethen fremder geworden, und es scheint, als wenn es nie wieder zu einem herzlichen Einvernehmen zwischen beiden kommen könnte. Hier scheint mir Goethe ganz unschuldig, und sein Benehmen hat mir stets Achtung eingeflößt. Ich weiß die ersten Veranlassungen des Mißvernehmens nicht und mag sie auch nicht wissen, aber so viel weiß ich, daß Goethe oft Herdern zuvorgekommen ist, ihn zu sich eingeladen und überhaupt alles getan hat, um es zu keinem öffentlichen Bruch kommen zu lassen…

Mitte der neunziger Jahre war vielerlei zusammengekommen, um Herder aus dem gewohnten Freundeskreis zu lösen. Depressionen, denen er nur zu oft ausgeliefert war, verdüsterten ihm den Blick, raubten ihm die Fähigkeit, Veränderungen seiner Umgebung gelassen zu registrieren und ihnen die eigenen Bedürfnisse sachte anzupassen. – Ihn irritierte nachhaltig das Auftauchen Schillers, später das der Romantiker. Es trieb ihn ebenso in eine bohrende Feindseligkeit wie die Existenz Christianes. Seine kaum verdeckte Parteinahme für Ziele und Forderungen der Französischen Revolution mußte ihn dem Herzogshaus und auch Goethe, dem strikten Gegner jeder revolutionären Doktrin, entfremden, und spöttisch zugeschliffene, von außerkünstlerischen Maßstäben diktierte Anmerkungen zu Goethes nachitalienischer Dichtung. Darunter feindselige Anmerkungen zu den «Römischen Elegien», den «Venezianischen Epigrammen», zu Balladen wie «Der Gott und die Bajadere» und «Die Braut von Korinth» oder zu «Wilhelm Meister». Anmerkungen, die verletzen sollten – und verletzten!

In seinem eigenen Bereich, noch gequält durch zunehmende Kränklichkeit und nie endende Geldsorgen, fühlte Herder sich, da ihn Amtspflichten trotz zugebilligter Erleichterung weiterhin übermäßig belasteten, hintergangen, glaubte sich von Goethe, von dem Herzog in diese ausweglose Situation bewußt und listig hineinmanövriert. Bitterkeit tränkte die Atmosphäre, verschärft noch durch Caroline, die plötzlich Summen zur Erziehung der Söhne einforderte, die so nicht vereinbart waren, und das in einem Ton, den ihr Goethe mit dem Brief vom 30. Oktober streng verwies. Die herzogliche Kasse erfüllte Carolines Forde-

rung, was aber ihren Zorn, ihren Haß nicht dämpfte, denn «man dankt dem das Mögliche nicht», hatte Goethe geschrieben, «von dem man das Unmögliche gefordert hat».
An diese gebündelten Unannehmlichkeiten hatte wohl Goethe gedacht, als er im Juni 1821 zu Kanzler Müller sagte, «je mehr man Herdern geliebt, desto mehr habe man sich von ihm entfernt halten müssen, um ihn nicht totzuschlagen».

Und 1803, als Herder starb, schrieb er: «Herder verließ uns, nachdem er lange gesiecht hatte. Schon drei Jahre hatte ich mich von ihm zurückgezogen, denn mit sei-

Herders Grabstätte in St. Peter und Paul · Platte in Eisenguß

ner Krankheit vermehrte sich sein mißwollender Widerspruchsgeist und überdüsterte seine unschätzbare Liebesfähigkeit und Liebenswürdigkeit. Man kam nicht zu ihm, ohne sich seiner Milde zu erfreuen, man ging nicht von ihm, ohne verletzt zu sein.
Sonderbar genug sollte ich kurz vor seinem Ende ein Resumé unserer vieljährigen Freuden und Leiden, unserer Übereinstimmung sowie des störenden Mißverhältnisses erleben.
Er hatte sich nach der Vorstellung der «Natürlichen Tochter», wie ich von andern hörte, auf das günstigste ausgesprochen, und es ergab sich die Gelegenheit bei einem gemeinsamen kurzen Aufenthalt im Schloß zu Jena, daß er mir nun auch persönlich, in Worten: prägnant, genau und höchst erfreulich, mit Ruhe und Reinheit das Beste von gedachtem Stück sagte. Indem er als Kenner entwickelte, nahm er als Wohlwollender innigen Teil, und wie uns oft im Spiegel ein Gemälde reizender vorkommt als beim unmittelbaren Anschauen, so schien ich nun erst diese Produktion recht zu kennen und einsichtig selbst zu genießen. Diese innerlichste schöne Freude jedoch sollte mir nicht lange gegönnt sein, denn er endigte mit einem zwar heiter ausgesprochenen aber höchst widerwärtigen Trumpf [«deine ‹Natürliche Tochter› ist mir lieber als dein natürlicher Sohn»], wodurch das Ganze, wenigstens für den Augenblick, vor dem Verstand vernichtet ward.
Der Einsichtige wird die Möglichkeit begreifen, aber auch das schreckliche Gefühl nachempfinden, das mich ergriff; ich sah ihn an, erwiderte nichts und die vielen Jahre unseres Zusammenseins erschreckten mich in diesem Symbol auf das fürchterlichste. So schieden wir und ich habe ihn nie wieder gesehen.

1 Freitag · Allerheiligen

Und schwer und ferne
Hängt eine Hülle
Mit Ehrfurcht. Stille
Ruhn oben die Sterne
Und unten die Gräber.

2 Samstag · Allerseelen

Mich läßt der Gedanke an den Tod in völliger Ruhe, denn ich habe die feste Überzeugung, daß unser Geist ein Wesen ist ganz unzerstörbarer Natur; es ist ein fortwirkendes von Ewigkeit zu Ewigkeit, es ist der Sonne ähnlich, die bloß unsern irdischen Augen unterzugehen scheint, die aber eigentlich nie untergeht, sondern unaufhörlich fortleuchtet.

Die Kirche zu Ehringsdorf bei Weimar · Sepiatuschzeichnung von Goethe, 1776

3 Sonntag

Das Höchste, was wir von Gott und der Natur erhalten haben, ist das Leben, die rotierende Bewegung der Monas um sich selbst, welche weder Rast noch Ruhe kennt. Der Trieb, das Leben zu hegen und zu pflegen, ist einem jeden unverwüstlich eingeboren, die Eigentümlichkeit desselben jedoch bleibt uns und andern ein Geheimnis.

4 Montag

Nicht allein das Angeborene, sondern auch das Erworbene ist der Mensch.

5 Dienstag

Nichts ist unerträglicher als abgeschnittene Eigenheit an demjenigen, von dem man eine reine gehörige Tätigkeit fordern kann.

6 Mittwoch

Es steht manches Schöne isoliert in der Welt, doch der Geist ist es, der Verknüpfungen zu entdecken und dadurch Kunstwerke hervorzubringen hat.

7 Donnerstag

Wer zuviel verlangt, wer sich am Verwickelten erfreut, der ist den Verirrungen ausgesetzt.

8 Freitag

Lieb und Leidenschaft können verfliegen,
Wohlwollen aber wird ewig siegen.

9 Samstag

Der Irrtum verhält sich gegen das Wahre wie der Schlaf gegen das Wachen. Ich habe bemerkt, daß man aus dem Irren sich wie erquickt wieder zu dem Wahren hinwende.

10 Sonntag

Was ein weiblich Herz erfreue
In der klein- und großen Welt?
Ganz gewiß ist es das Neue,
Dessen Blüte stets gefällt;
Doch viel werter ist die Treue,
Die, auch in der Früchte Zeit,
Noch mit Blüten uns erfreut.

11 Montag

Lächelnd sehn wir den Tänzer auf glatter Ebene straucheln,
Aber auf ernstlichem Seil, wer mag den Schwindelnden sehn?

12 Dienstag

Das Lebendige schon muß man schätzen.

13 Mittwoch

Die Hand des einsam Verschloßnen, der die Stimme der Liebe nicht hört, drückt hart, wo sie aufliegt.

14 Donnerstag

Es ist besser, man betrügt sich an seinen Freunden, als daß man seine Freunde betrügt.

15 Freitag

Die Leidenschaft bringt Leiden!

16 Samstag

Niemand soll ins Kloster gehn,
Als er sei denn wohl versehn
Mit gehörigem Sündenvorrat;
Damit es ihm so früh als spat
Nicht mög am Vergnügen fehlen,
Sich mit Reue durchzuquälen.

17 Sonntag · Volkstrauertag

Denn in der Gestalt, wie der Mensch die Erde verläßt, wandelt er unter den Schatten.

18 Montag

Tut dir jemand was zulieb,
Nur geschwinde, gib nur, gib.
Wenige getrost erwarten
Dankesblume aus stillem Garten.

19 Dienstag

Der höchste Genuß des Schönen läßt sich nur in dessen Werden aus eigener Kraft empfinden.

20 Mittwoch

Wollte Gott die Menschen belehren,
Mußt er ihnen nicht den Rücken kehren,
Und sollten sie auf ihr Bestes passen,
Mußt er sich nicht schlecht behandeln lassen.

21 Donnerstag

Auch ich verharre meiner Pflicht,
Der Schatten weicht der Sonne nicht.

22 Freitag

Der geringste Mensch kann komplett sein, wenn er sich innerhalb der Grenzen seiner Fähigkeiten und Fertigkeiten bewegt.

23 Samstag

Die Naturschönheit ist den Gesetzen der Notwendigkeit unterworfen, die Kunstschönheit den Gesetzen des höchstgebildeten menschlichen Geistes, jene erscheint uns darum gleichsam gebunden, diese gleichsam frei.

24 Totensonntag

Wir alle leben vom Vergangenen und gehen am Vergangenen zu Grunde.

25 Montag

Die meisten haben wohl, wenn sie das Leben eine Zeitlang mitgemacht haben, lieber hinausscheiden als von neuem beginnen mögen. Was ihnen noch etwa einige Anhänglichkeit an das Leben gab oder gibt, das war und ist die Furcht vor dem Sterben.

26 Dienstag

Wirst du die frommen Wahrheits-Wege gehen,
Dich selbst und andere triegst du nie.
Die Frömmelei läßt Falsches auch bestehen,
Derwegen haß ich sie.

27 Mittwoch

Wenn das Herz das Gute freiwillig annehmen kann, so findet es sich immer eher, als wenn man es ihm aufdringen will.

28 Donnerstag

Alter: stufenweises Zurücktreten aus der Erscheinung.

29 Freitag

Entweder das Gegenwärtige hält uns mit Gewalt an sich oder wir verlieren uns in die Vergangenheit, um das völlig Verlorene wieder hervorzurufen und herauszustellen.

30 Samstag

Du sehnst dich, weit hinaus zu wandern,
Bereitest dich zu raschem Flug;
Dir selbst sei treu und treu den andern,
Dann ist die Enge weit genug.

VI. LES MAÎTRES DES PLAISIRS

UNGEBETENE GÄSTE

Siegmund v. Seckendorff, 12. 4. 1776 – Vor kurzem ist auch der durch seine Theaterstücke bekannte Herr Lenz eingetroffen, um unsere Gesellschaft zu vergrößern. Noch andere Heroen werden erwartet, und wir werden dann ein sehr zahlreiches Personal haben, um den Tempel des Apollo und der Ausgelassenheit zu bevölkern.

Lenz an seine Mutter, 5. 4. – In diesem Augenblick – da ich der Mutter meines Goethe schreibe – schreibe ich auch Ihnen, sag Ihnen, daß ich jetzt in Weimar bin, wo Goethe mich dem Herzog vorstellen wird...

Goethe an Frau v. Stein, 5. 4. – Liebste Frau, darf ich heut mit Lenzen kommen? Sie werden das kleine wunderliche Ding, diesen Lenz, sehen und ihm gut werden...

Wieland, 27. 5. – Lenz liefert alle göttliche Tage regulièrement seinen dummen Streich!

Goethe, 16. 9. – Er ist unter uns wie ein krankes Kind, wir wiegen und tänzeln ihn und geben und lassen ihm von Spielzeug, was er will!

Wieland, 5. 10. – Er ist eine wunderliche, aber im Grunde gute, liebenswürdige Seele. Er lebt jetzt in Berka. Er bedarf wenig und ist glücklich, wenn man ihn in seiner Ideenwelt ungestört leben läßt.

Goethe, Tagebuch, 26. 11. – Lenzens Eseley! [Wohl eine Taktlosigkeit. Näheres nicht bekannt.]

Am 27./29. November Früh nach Berka zu Lenz. Um 11 Uhr wieder zurück. – Fortwährender Verdruß. Zur Herzoginmutter. Zu Frau v. Stein. Zu Thusnelden. –

Resolviert, Lenz durch Herder mitteilen lassen, daß der Herzog, bei Übernahme der Kosten, Lenzens sofortige Abreise wünsche.
Lenz an Herder, 29. 11. – Ausgestoßen aus dem Himmel, ein Pasquillant, ein Reißläufer, ein Waldbruder! Hätt ich nur Goethens Winke eher verstanden!
Goethe, Tagebuch, 30. 11. – Lenzens Bitte um noch einen Tag in Weimar stillschweigend accordiert.
Goethe an Frau v. Stein, 1.12. Lenz hat mir weggehend noch diesen Brief an Herzogin Louise offen zugeschickt, übergeben Sie ihn, liebe Frau. Die ganze Sache reißt so an meinem Innersten, daß ich erst daran wieder spüre, daß es tüchtig ist und was aushalten kann.
Klinger, 26. 6. – Lieber Bruder! Hier bin ich seit zwei Tagen und kann dir fast nicht reden, so reich, so arm, so voll, so leer bin ich an Wort und Gefühl. Ich packte in Gießen die Jurisprudenz zusammen und machte mich fort und bin nun hier. Am Montag kam ich hier an – lag an Goethes Hals, und er umfaßte mich mit aller Liebe. – «Närrischer Junge! Toller Junge!» Er wußte nichts von meinem Kommen, so kannst du denken, wie ich ihn überraschte!
Wieland, 5.7. – Klinger ist auch gekommen, Leider! Er ist ein guter Kerl, ennuyiert uns aber herzlich! Was ist mit solchen Leuten anzufangen?
Falk, Erinnerungen – Eines Tages kam er zu Goethe, zog ein Manuskript aus der Tasche und las. Eine Weile hörte Goethe zu, dann aber sprang er auf und rief: «Was für verfluchtes Zeug hast du da wieder geschrieben! Das halte der Teufel aus!» Klinger ließ sich nicht aus der Fassung bringen, sondern sagte lediglich: «Kurios! Das ist nun schon der zweite, mit dem mir das heute begegnet!»

Jakob Michael Reinhold Lenz · Kupferstich von Georg Friedrich Schmoll

Goethe, Tagebuch, 24.7. – Klinger kann nicht mit mir wandeln, er drückt mich. Ich habs ihm gesagt, darüber war er außer sich…
Am 16. September – Er ist wie ein Splitter im Fleisch, er schwürt, und wird sich heraus schwüren, leider!

Wieland, 30.9. – Herr Kaufmann ist seit acht Tagen hier und wird, wie ich höre, noch diese Woche bleiben. Er kam den zweiten Tag mit Klingern in meinen Garten und blieb eine halbe Stunde. – Den folgenden Morgen fand ich ihn bei Goethe. Der Mann hat was Anziehendes für mich. Ich näherte mich ihm voll Gutwilligkeit; er zog sich aber ganz in seine Schale zurück; und so haben wir's dabei bewenden lassen.

Goethe, Tagebuch, 9. 10. – Kaufmann weg. Mit Herder gessen.

Graf Putbus, 29. 7. – Unsere sogenannten Schönen Geister, die in einigen Fällen ziemlich häßlich aussehen, können einen philosophischen Beobachter wohl reizen. In ihren Schriften zeigen sie sich oft als Genies, in ihrer Unterhaltung aber sind sie immer herablassend, sind kindisch, schwärmend, und, wenn ihre Laune auf das höchste steigt, studentisch. Mit mehr Unfehlbarkeit, als der Papst beansprucht, schleudern sie Verwünschungen und Bannflüche gegen alle, die ihnen Bewunderung versagen...

Goethe zu Eckermann, 23. 3. 1829 – Ja, mein Guter, man hat von seinen Freunden zu leiden gehabt!

Weimar, der Hof, die Welt waren skandalisiert, registrierten schaudernd, daß «alles aus den Fugen kam»! – Die Welt übersah jedoch, Nachricht um Nachricht ins Monströse aufblähend, wie rasch der Spektakel verebbte, der Tumult sich legte, übersah, daß im Hin und Her zwischen Alt und Jung, zwischen Herkommen und trotzigem Auftrumpfen, sich mählich wieder ein Gleichgewicht bildete: fragil zwar, gefährdet noch, doch halbwegs funktionierend.

Ordnungen waren entstanden: fremd, unverständlich den Gesellen wie Klinger, Kaufmann oder Lenz, den Kraftgenies, die ungebeten, auf Genie-Brüderschaft aus Goethes Straßburger und Frankfurter Tagen pochend, lärmend in Weimar einfielen. Sie luden sich zu Gast. Ihnen schien es ein Leichtes, Goethe ähnlich,

Freund und Vertrauter eines Herzogs zu sein. Von dem Dichter, von dem Fürsten erwarteten und forderten sie Schutz, Unterkunft, Fortkommen. – Christoph Kaufmann, ein Wunderdoktor und Weltverbesserer, von Lavater heftig protegiert, streifte allerdings Weimar nur im Vorübergehen; Klinger dagegen, der mit Kaufmann im Juni 1776 auftauchte, gedachte zu bleiben. Offenbar hatte er, ein kräftiger, gut aussehender Bursche, seine Hoffnung auf ein Offiziers-Patent in Carl Augusts «Armee» gesetzt, ohne zu bedenken, daß in dieser Mini-Truppe von nicht einmal tausend Mann kaum Raum für vagabundierende Schriftsteller war. Er mußte weiter! – Lenz aber, Goethe sehr viel näher in Begabung und Sensibilität, als Autor fast schon als «Goethes Brüderchen» geltend, meldete sich plötzlich im April 1776 («ein lahmer Kranich, der sucht, wo er seinen Fuß hinsetze») zerlumpt und abgerissen in Weimar.
Und Weimar kam ihm freundlich-freundschaftlich entgegen. In diesem Kreis, der in jede Brechung des Geistes, in alle Spiegelungen von Poesie und Kunst verliebt war, mußte ein Talent entzücken, in dem sich «Zartheit, Beweglichkeit, Spitzfindigkeit» mischten. – Lenz, scherzend, schmeichelnd, die Damen reihum adorierend, schien ein Kind, zu Spiel und Hätschelei geschaffen. Niemand erkannte in den «Eseleien» erste Boten des Wahnsinns, der diesen reich facettierten Geist zerstören sollte, sondern brach, Krankheit als untragbare Taktlosigkeit deutend, schließlich den Stab über den armen Kranich. – Nach Jahren unseligen Umherirrens brachte der Bruder 1779 Lenz ins Elternhaus zurück nach Riga. Im Mai 1792 wurde er in Moskau tot auf der Straße gefunden.

Carl Siegmund v. Seckendorff · Ölbild von Johann Ernst Heinsius

Wer ist der andre, der sich nieder
An einen Sturz des alten Baumes lehnt
Und seine langen, feingestalten Glieder
Ekstatisch faul nach allen Seiten dehnt
Und, ohne daß die Zecher auf ihn hören,
Mit Geistesflug sich in die Höhe schwingt
Und von dem Tanz der himmelhohen Sphären
Ein monotones Lied mit großer Inbrunst singt?

Aus «Ilmenau», 1783

Seckendorff war es, wie Goethe später erklärte, der, nach einer der wilden Jagden im Winter 1776, sich behaglich, während die andern am Lagerfeuer brutzelten und brieten und die Weinflasche kreiste, am Stamm eines Baumes hinstreckte «und allerlei Poetisches» summte...

Siegmund v. Seckendorff, Bayreuth, 13. 12. 75 – Herzog Carl August hat mir gestern angezeigt, er wünsche, anders als ursprünglich geplant, daß ich noch *vor* dem Weihnachtsfeste in Weimar ankäme…

Karl v. Lyncker, Weihnachten 1775 – Mittlerweile war Siegmund v. Seckendorff, ein Verwandter von uns, in Weimar angekommen. Doch der Herzog war, zu unseres Vetters Verdruß, nach Gotha gefahren.

Siegmund v. Seckendorff, 6. 1. 1776 – Länger als vierzehn Tage bin ich hier und mein Schicksal ist noch nicht entschieden. Man hat mehr als zehnmal den Plan geändert. Dabei habe ich mir zwei Wagenpferde und ein Reitpferd anschaffen müssen, denn zu Fuß gehen kann man hier nicht in den schmutzigen Straßen.

Den 15. Februar – Serenissimus überläßt sich fortwährend den geräuschvollsten Zerstreuungen und kommt nicht heraus aus dem Kreise der Personen, die seine Augen bezaubert haben. Denn nach dem leider zu getreulich befolgten System seiner Ratgeber gibt es keine Konvenienz, und es soll keine geben. Nach diesem schönen System wird gehandelt.

Frau v. Stein, 10. 5. – Goethe verursacht hier einen großen Umsturz; wenn er auch wieder Ordnung machen kann, umso besser für sein Genie!

Wenige Briefe und die knappen Angaben eines Nekrologs erlauben, wenn auch gleichsam nur im Stichwort, Seckendorffs vorweimarische Jahre zu rekapitulieren: Seiner Familientradition gemäß eine Erzie-

(Fortsetzung S. 136)

DEZEMBER

1 Erster Advent

Doch überwiegt das Leben alles, wenn die Liebe in seiner Schale liegt.

2 Montag

Je mehr man kennt, je mehr man weiß,
Erkennt man: alles dreht im Kreis.

3 Dienstag

Alle Mystik ist ein Transzendieren und ein Ablösen von einem Gegenstande, den man hinter sich zu lassen glaubt.

4 Mittwoch

Was mich tröstet in solcher Not:
Gescheite Leute, sie finden ihr Brot,
Tüchtige Männer erhalten das Land,
Hübsche Mädchen verschlingen das Band;
Wird dergleichen noch ferner geschehn,
So kann die Welt nicht untergehn.

5 Donnerstag

Das sind die besten Intressen,
Die Schuldner und Gläubiger vergessen.

6 Freitag · Sankt Nikolaus

Liegt dir Gestern klar und offen,
Wirkst du Heute kräftig frei.
Kannst auch auf ein Morgen hoffen,
Das nicht minder glücklich sei.

7 Samstag

Nicht überall, wo Wasser ist, sind Frösche; aber wo man Frösche hört, ist Wasser.

8 Zweiter Advent

Gutes tu rein aus des Guten Liebe!
Das überliefre deinem Blut;
Und wenn's den Kindern nicht verbliebe,
Den Enkeln kommt es doch zu gut.

9 Montag

Wer Gott ahnet, ist hoch zu halten,
denn er wird nie im Schlechten walten.

10 Dienstag

Hör auf doch, mit Weisheit zu prahlen, zu prangen,
Bescheidenheit würde dir löblicher stehn.
Kaum hast du die Fehler der Jugend begangen,
So mußt du die Fehler des Alters begehn.

11 Mittwoch

Alles Gute, was geschieht, wirkt nicht einzeln. Seiner Natur nach setzt es sogleich das Nächste in Bewegung.

12 Donnerstag

Wer keine Liebe fühlt, muß schmeicheln lernen, sonst kommt er nicht aus.

13 Freitag

Der Mensch, der einer guten Sache dient, wohnt in einer festen Burg.

14 Samstag

«Wir quälen uns immerfort
In des Irrtums Banden.»
Wie manches verständliche Wort
Habt ihr mißverstanden.

15 Dritter Advent

In einem Augenblick gewährt die Liebe,
Was Mühe kaum in langer Zeit erreicht.

16 Montag

Frömmigkeit verbindet sehr,
Aber Gottlosigkeit noch viel mehr.

17 Dienstag

Gott hat den Menschen gemacht
Nach seinem Bilde;
Dann kam er selbst herab,
Mensch, lieb und milde.

18 Mittwoch

So ist immer Eines um Alles, Alles um Eines willen da, weil ja eben das Eine auch Alles ist.

19 Donnerstag

Das ist doch nur der alte Dreck,
Werdet doch gescheiter!
Tretet nicht immer denselben Fleck,
So geht doch weiter!

20 Freitag

Die Güte des Herzens nimmt einen weiteren Raum ein als der Gerechtigkeit geräumiges Feld.

21 Samstag · Winteranfang

Der Winter ist den Kindern hold,
Die jüngsten sind's gewohnt.
Ein Engel kommt, die Flüglein Gold,
Der guten Kindern lohnt.

22 Vierter Advent

Wer im stillen um sich schaut,
Lernet, wie die Lieb erbaut.

23 Montag

Ich habe von Jugend auf die Augen meines Geistes mehr nach innen als nach außen gerichtet, und da ist es sehr natürlich, daß ich den Menschen bis auf einen gewissen Grad habe kennen gelernt, ohne die Menschen im mindesten zu verstehen und zu begreifen.

24 Heiligabend

Der Weihnachtsbaum war mütterlich geschmückt,
Die Kinder harrten mit Verlangen,
Und das Ersehnte wird herangerückt,
Das holde Fest wird glanzvoll früh begangen.

25 Weihnachten

Es ist ganz einerlei, was für einen Begriff man mit dem Namen Gottes verbindet, wenn man nur göttlich, das heißt gut handelt.

26 Stephanstag

Die schönsten Kränze winden Lieb und Treue.

27 Freitag

Es ist doch gewiß, daß in der Welt den Menschen nichts notwendiger macht als die Liebe.

28 Samstag

Und so haltet, liebe Söhne,
Einzig euch auf eurem Stand:
Denn das Gute, Liebe, Schöne,
Leben ists dem Lebens-Band.

29 Sonntag

Wer Gutes tun will, der sei erst gut!

30 Montag

Auf diesem beweglichen Erdball ist doch nur in der wahren Liebe, der Wohltätigkeit und den Wissenschaften die einzige Freude und Ruhe.

31 Silvester

«Die Jahre nahmen dir, du sagst, so vieles:
Die eigentliche Lust des Sinnespieles,
Erinnerung des allerliebsten Tandes
Von gestern, weit- und breiten Landes
Durchschweifen frommt nicht mehr; selbst nicht von oben
Der Ehren anerkannte Zier, das Loben,
Erfreulich sonst. Aus eignem Tun Behagen
Quillt nicht mehr auf, dir fehlt ein dreistes Wagen!
Nun wüßt ich nicht, was dir Besondres bliebe?»
Mir bleibt genug! Es bleibt Idee und Liebe!

hung à la mode am Bayreuther Hof; Rechtsstudien in Erlangen; Erweiterung und Befestigung der Welt- und Sprachkenntnisse durch Reisen in Italien und Frankreich. – Dazu früh schon erste literarische Versuche und die sorgfältige Ausbildung an Klavier, Geige und Cello. – Überraschend dann der Abbruch der Studien und Eintritt zunächst in österreichische, anschließend in savoyisch-sardinische Dienste, die Seckendorff, trotz Leerlauf und nur mäßigem Gewinn, erst 1775, nun allerdings Obristleutnant, aufgab. – Sein Blick war (und das seit Jahren) auf Weimar gerichtet, das ihn, als «ein Musensitz», anzog. Bereits 1771 hatte er durch Graf Görtz sondieren lassen, jetzt aber, im Sommer 1775, fand er im heimischen Bayreuth Gelegenheit, sich Carl August, dem Weimarer Erbprinzen, vorzustellen, der gemeinsam mit der Herzoginmutter den verwandten Hof besuchte. – Carl August war beeindruckt. Diesen erfahrenen Offizier, diesen geschulten Musiker, diesen eifrigen Literaten, diesen Weltmann, weitgereist, witzig, geistreich und mit ausgesuchten Manieren, mußte er für den Hof gewinnen, an dessen Spitze er in wenigen Wochen treten sollte. Er schlug Seckendorff die Charge eines Kammerherrn und das Amt des Geheimsekretärs vor, verbunden mit dem Titel eines Legationsrates, dem wahrscheinlich bald die Ernennung zum Oberhofmeister der Herzoginmutter folgen werde. Der Freiherr war einverstanden.

Doch zu seinem Entsetzen sah Seckendorff, als er Ende Dezember in Weimar ankam, alle Gewichte verschoben. Der Herzog, jung, impulsiv, unerfahren, hatte versprochen, was er nicht halten konnte und, wie sich zeigte, auch nicht zu halten gedachte. Entscheidendes war geschehen. Sechs Wochen vor Seckendorff war Goethe, auch er dringlich vom Herzog gebeten, in Weimar eingetroffen. Sein Erscheinen löste Entwicklungen aus, die sich als irreversibel erwiesen. – Zwar wurde Seckendorff als Kammerherr bestätigt; sein Salär von 600 Talern, auf des enttäuschten Freiherrn Drängen hin, um 500 Taler erhöht, der «Legationsrat» jedoch, Amt und Titel, blieb dem Freund vorbehalten. – Es war ein Affront. Der Fürst hatte den bürgerlichen Literaten, den Protagonisten des eben in Schwang gekommenen, degoutanten Sturm und Drang, ihm, dem geborenen und zum höfischen Dasein herangebildeten Aristokraten vorgezogen. Er hatte einen Ratgeber gewählt, dem jeder Sinn für Schicklichkeit und Konvenienz abging und der in des Freiherrn Augen nichts war als ein Parvenu, ein windiger Favorit, ein Günstling ohne Gewissen, ohne sittlichen Ernst: Ursache seines persönlichen Mißgeschicks, schuld aber auch an der um sich greifenden Verwilderung aller Sitten. – Seckendorffs Groll wuchs und verhärtete sich noch, als der Herzog im September 1776, beim plötzlichen Tod des Grafen Putbus, bis dahin Grand-Maître der Herzoginmutter, unangefochten durch seine Versprechungen, die Charge strich. Eine Sparmaßnahme, die er noch im gleichen Jahr, beim Abschied des Grafen Görtz, der dem Haushalt der regierenden Herzogin vorgestanden hatte, zum zweiten Mal verfügte. Sicher zu Recht angesichts der leeren Kassen, aber ein Unrecht Seckendorff gegenüber. Dieser blieb, wie er zornig feststellte, nichts als ein überzähliger Höfling, dessen ganzes Verdienst darin bestehe, nicht zu stolpern, wenn er seiner Gebieterin den Arm reiche. Ein Ruhm, den er bekanntlich mit jedem Chaisenträger teile …

Siegmund v. Seckendorff, 6. 1. 1776 – Ich bin mit der Frau Herzoginmutter ganz außerordentlich zufrieden; sie ist mir bis jetzt mit der ausnehmendsten Höflichkeit begegnet und hat mir unzählige Freundlichkeiten erzeigt, und ich werde sicherlich keine Gelegenheit versäumen, mir ihre Gunst zu erhalten.

Karl v. Lyncker, Erinnerungen – Mittlerweile wurden auch Liebhaber-Theater errichtet. Die Schauspielgesellschaft bestand eigentlich aus drei Abteilungen. Die erste und wichtigste wurde von Goethe, und was die Musik betrifft von Siegmund Seckendorff dirigiert, wobei besonders Seckendorff Epoche machte. Voller Kenntnisse und Erfahrung, war er zugleich ein vorzüglicher Musiker, und Goethe schien ihn sehr zu schätzen.

Goethe, Tagebuch, 19. 1. 1777 – Zu Seckendorf wegen des Drama. Mit Crone gessen. Nachmitt. zu Stein, um sechse auf das Eis. – *Den 23. März* Früh Seckend. bei Herzog. Wir nach Ettersb. Mittags draus gessen, alles arrangiert. Abends zurück. – *Den 2. Mai* Conseil. Mit Herzog gessen. Abends Crone, Mine, Herzog, Seckend. im Garten. Ausgelassen lustig. – *Den 21. Juli* Tiefurt früh gebadet. Kam Seckendorf. Abends das Fragespiel mit Zufallsantwort. – *Den 9. Januar 1779* Abends bey Seckend. Musik. Schweigen. – *Den 8. Februar 1780* aufs Theater. Kriegs Comm. Zu Herzoginmutter, kriegte gegen Mittag weniges Kopfweh. Zu Seckendorff. Abends Wieland, wir waren sehr lustig. – *Den 19. Februar* Sturm die ganze Nacht und Tag. Früh scharf weg diktiert, Zu Seckend. Leseprobe der Kalliste. Zu Herzoginmutter, Wieland. Vorgelesen. Waren sehr munter und vertraut. –

Siegmund v. Seckendorf, 10. 3. 1777 – Da in gewissem Sinn eine Verbesserung unserer Lage eingetreten ist, so hat man sich meistenteils mit dem Liebhabertheater die Zeit vertrieben, welches sich mehr und mehr vervollkommnet...

Das war Anna Amalias Verdienst, die verstand, Begabungen zu locken und zu halten. Auch Seckendorff kam sie mit dem freundlichsten Wohlwollen entgegen. Sie ließ ihn, der, wie Karl Lyncker erzählt, oft schweigend und in sich gekehrt, nervös die Fingerknöchel bis zum Bluten bekauend, in einer Ecke des Audienzsaales lehnte, spüren, daß sie seine Talente kannte, daß sie ihn schätzte. Sie zog ihn heran, und beinahe sofort sah sich der Mißgelaunte, der Malcontente – allerdings im engsten Zusammenschluß mit den «Hofteufeln», der gehaßten und verabscheuten Gegenpartei – in den Wirbel ihrer Unternehmungen fortgerissen. Er rückte rasch, seit Bayreuther Jugendtagen hoch erfahren in den Usancen derartiger Hofunterhaltungen, zu der Herzogin, doch auch zu Goethes unentbehrlichem Mitarbeiter auf. Bei allem, was über die kleine Bühne ging, bewährte er sich als Sänger und Schauspieler, als Musiker, Dichter und Komponist. Geschult an zeitgenössischer französischer und italienischer Musik, inspiriert von Gluck, den er hoch verehrte, bereicherte er unter anderen auch die Goetheschen Arbeiten mit seinen musikalischen Einfällen. – Jahr um Jahr arrangierte er, wie Valentin Knab nachweist, Ballette, Masken- und Redoutenaufzüge; inszenierte geschickt und flink Schattenspiele und Pantomimen – versah, wie er Anfang 1779 dem Bruder schrieb, das Amt eines «Directeurs des Plaisirs», das, wie er hinzufügte, oft mehr

Arbeit und Mühe mache als die Leitung eines Ministeriums. – Man nahm dankbar und freudig hin, was er scheinbar leichthin für Weimars Geselligkeit tat. Der Herzog hielt zwar auf Distanz, doch die Herzoginnen waren ihm zugetan; Wieland, Herder, Knebel schätzten ihn, selbst Goethe (obwohl auch er distanziert wie sein Herzog) widmete ihm 1783 in «Ilmenau», der großen Retrospektive auf Carl Augusts erstes Regierungsjahrzehnt, schönste Zeilen... Fazit aber blieb, daß seine Existenz beengt, ungesichert und ohne rechte Zukunft war. In Braunschweig, Darmstadt und Hannover, auch im angestammten Ansbach-Bayreuth, suchte er, oft der Verzweiflung nahe, nach Möglichkeiten, «sich auf eigene Füße zu stellen, um mit einigem Anstand den verhaßten Weimarer Dienst quittieren zu können».

Einsiedels «Adolar und Hilaria» in Ettersburg · Mit Goethe und Corona Schröter · Ölbild von Melchior Kraus, 1780

Endlich nach Jahren des Taktierens und Kombinierens gelang es Seckendorffs Brüdern, die Verbindung nach Berlin, zu Friedrich dem Großen, herzustellen. Der König empfing den Baron, und es geschah, worauf Seckendorff kaum zu hoffen gewagt hatte: er wurde unter günstigsten Bedingungen zum Preußischen Gesandten beim Fränkischen Kreis im Februar 1785 ernannt. – Auf dem Rückweg von Potsdam wartete Seckendorff, nun in offizieller Mission, den Herzögen von Weimar und Gotha auf. – Er sei vergnügt, berichtete Herder, und gehe guten Muts dem neuen Posten entgegen; zu dem er auch, wie Herder meint, den Beruf von Natur habe. Es freue ihn, daß die «Schutzgeister ihm die Speise nach seinem Gaum bereitet zu haben schienen...» Doch noch auf der Heimreise, nur unterbrochen durch einen kurzen Aufenthalt in Würzburg, überfiel Friedrichs Gesandten eine Lungenentzündung, die rasch zum Tode führte. –
Er war in den vergangenen Jahren oft und schwer krank gewesen. Jetzt fand sich bei der Obduktion die Lunge «klein und völlig angewachsen und verdorben». Zeichen einer Tuberkulose, die sich Seckendorff vielleicht ein Jahrzehnt zuvor in savoyischen Diensten zugezogen hatte.
«Es ist dieser Fall reich an nachdenklichem Stoff», schrieb Goethe vier Tage später an Knebel, von dem er annahm, daß ihn Seckendorffs Tod ebenso unerwartet getroffen habe wie sie alle...

Die Strahlkraft von Goethes Namen verdeckte und verdeckt uns oft die historische Realität. Der Weg des jungen Genies nach Weimar wird, leichthin und im Sturmschritt genommen, zum Siegeslauf. Der herzogliche Hof, der illustre Kreis der Damen, der Kavaliere schrumpft zur reizvollen Staffage, wird zum Publikum, das artig dem großen Dichter zu applaudieren hatte, und, nach Meinung idealisierender Geschichtsklitterung, auch artig applaudierte. Uns entgeht nur zu leicht die Tatsache, daß dieses «Klassische Weimar», diese seltene und unserem Bedürfnis nach Harmonie und Erhöhung so angenehme Übereinkunft von Welt und Geist, Resultat schwieriger Anpassungen war, die Einsicht, Nüchternheit und Konsequenz voraussetzten.

Nüchtern, illusionslos bereits die Einsicht des jungen Dichters, daß in dem zerstückten Imperium des Alten Reichs, wo ein gültiges Urheberrecht weder zu formulieren noch durchzusetzen war, der Schriftsteller nicht hoffen durfte, seine Existenz auf eigene schriftstellerische Arbeit zu gründen. Klug dann das Ergreifen der Chance, die «Weimar», mit dem Auftauchen Carl Augusts und dessen freundschaftlichem Engagement, für Goethe bedeutete, und ebenso klug die Konsequenz, mit der Goethe diese Chance verfolgte und geschmeidig taktierend, gegen Widerstand und offene Feindseligkeit, an dieser Möglichkeit, sein Leben einzurichten, festhielt und Weimar zum Ort seines Bleibens machte, zu der Stelle, von der aus er ins Weite und Breite zu wirken vermochte.

QUELLENNACHWEIS

Die Quellen der Texte dieses Almanachs werden nach der Goethe-Gedenkausgabe der Werke, Briefe und Gespräche mit Band und Seitenzahl zitiert. Im Artemis Verlag.

Seite 5: 1,662 · 2,169 · 24,49 · 8,578 · 8,511 · 1,643 **Seite 6:** 1,521 · 1,576 · 10,451 · 7,477 · 9,520 · 2,179 · 24,63 **Seite 7:** 1,532 · 6,302 · 11,158 · 23,680 · 7,228 · 9,557 · 21,589 **Seite 8:** 1,613 · 9,524 · 9,933 · 1,675 · 11,342 · 1,393 · 21,309 **Seite 9:** 1,690 · 9,526 · 3,296 · 3,467 **Seite 17:** 1,633 · 21,739 · 9,577 **Seite 18:** 9,526 · 8,199 · 1,651 · 5,496 · 8,258 · 5,390 · 8,327 **Seite 19:** 3,335 · 23,322 · 22,423 · 7,593 · 4,138 · 23,554 · 9,567 **Seite 20:** 1,631 · 2,408 · 1,652 · 18,606 · 7,69 · 22,462 · 23,194 **Seite 21:** 19,128 · 9,507 · 11,590 · 9,540 · 15,839 **Seite 29:** 1,631 · 9,507 **Seite 30:** 8,318 · 9,557 · 1,502 · 9,610 · 2,281 · 9,544 · 6,320 **Seite 31:** 1,684 · 7,592 · 13,300 · 18,650 · 23,689 · 3,328 **Seite 32:** 1,425 · 22,420 · 3,405 · 19,55 · 3,335 · 1,657 ·4,466 **Seite 33:** 7,129 · 24,53 · 9,542 · 19,676 · 3,326 · 18,700 · 18,653 **Seite 34:** 5,171 **Seite 41:** 2,378 · 9,513 · 18,666 · 9,162 · 1,409 · 24,373 **Seite 42:** 1,598 · 9,569 · 3,345 · 9,573 · 6,263 · 23,844 · 6,443 **Seite 43:** 9,568 · 18,564 · 2,535 · 7,436 · 9,162 · 5,385 · 1,454 **Seite 44:** 11,524 · 22,458 · 22,433 · 5,349 · 21,862 · 9,121 · 19,706 **Seite 45:** 18,284 · 9,575 · 1,258 **Seite 53:** 41,309 · 4,137 · 7,297 · 1,639 **Seite 54:** 1,649 · 4,427 · 1,617 · 19,622 · 23,515 · 7,527 · 3,296 **Seite 55:** 1,664 · 23,148 · 7,502 · 13,997 · 3,380 · 8,516 · 18,584 **Seite 56:** 1,435 · 9,513 · 7,495 · 8,87 · 7,496 · 7,85 · 1,491 **Seite 57:** 2,336 · 22,330 · 22,451 · 7,478 · 7,400 · 11,588 **Seite 65:** 1,661 **Seite 66:** 6,472 · 13,73 · 4,266 · 1,519 · 24,308 · 19,358 · 8,434 **Seite 67:** 1,432 · 17,695 · 5,313 · 8,645 · 9,615 · 18,515 · 1,558 **Seite 68:** 1,453 · 13,72 · 9,520 · 1,547 · 1,258 · 8,873 · 8,507 **Seite 69:** 2,54 · 9,624 · 7,606 · 4,387 · 9,507 · 15,385 · 1,610 **Seite 70:** 9,541 **Seite 75:** 3,324 · 9,638 · 8,500 · 24,702 · 19,383 · 1,610 **Seite 76:** 1,668 · 9,513 · 8,354 · 9,529 · 9,530 · 22,456 · 1,166 **Seite 77:** 1,248 · 14,665 · 9,522 · 1,619 · 6,427 · 1,633 · 10,38 **Seite 78:** 1,666 · 9,645 · 5,382 · 9,612 · 8,307 · 1,203 · 22,423 **Seite 79:** 1,666 · 9,564 · 3,334 · 22,388 **Seite 85:** 2,391 · 1,609 · 24,509 **Seite 86:** 2,185 · 9,540 · 2,395 · 3,345 · 9,613 · 9,612 · 13,892 **Seite 87:** 1,667 · 9,551 · 3,136 · 22,400 · 7,299 · 5,203 · 1,419 **Seite 88:** 1,648 · 8,188 · 23,46 · 18,727 · 2,537 · 9,592 · 1,442 **Seite 89:** 1,640 · 9,196 · 9,577 · 3,213 · T,98 1,518 · 24,280 **Seite 95:** 1,650 · 9,530 · 11,439 · 21,73 · 1,621 · 9,612 · 1,618 **Seite 96:** 1,621 · 1,640 · 9,541 · 21,280 · 6,435 · 22,436 · 1,623 **Seite 97:** 1,614 · 9,621 · 1,701 · 9,206 · 7,591 · 1,35 · 1,428 **Seite 98:** 24,681 · 5,389 · 13,294 · 1,614 · 1,621 · 10,508 · 9,514 **Seite 99:** 23,315 · 2,390 **Seite 107:** 3,326 · 23,789 · 1,630 · 10,500 **Seite 108:** 1,623 · 7,305 · 1,643 · 1,709 · 16,916 · 1,642 · 1,610 **Seite 109:** 1,610 · 12,625 · 2,407 · 19,613 · 7,542 · 9,639 · 1,635 **Seite 110:** 1,620 · 19,174 · 1,654 · 13,24 · 9,617 · 8,515 · 1,437 **Seite 111:** 1,430 · 1,267 · 9,615 · 1,431 · 24,540 **Seite 119:** 1,501 · 24,115 **Seite 120:** 9,543 · 9,611 · 7,578 · 8,308 · 17,736 · 1,628 · 9,534 **Seite 121:** 1,29 · 2,536 · 3,136 · 18,330 · 9,612 · 1,479 · 2,404 **Seite 122:** 13,450 · 1,432 · 13,73 · 2,398 · 2,396 · 8,311 · 13,458 **Seite 123:** 9,515 · 22,401 · 1,645 · 4,266 · 9,669 · 9,196f · 1,645 **Seite 131:** 6,834 · 1,666 · 9,534 · 1,627 · 1,643 · 1,646 · 9,508 **Seite 132:** 3,335 · 1,435 · 1,606 · 12,672 · 9,516 · 23,520 · 1,642 **Seite 133:** 6,250 · 1,651 · 1,614 · 22,441 · 1,654 · 9,666 · 3,723 **Seite 134:** 3,318 · 7,276 · 3,723 · 23,805 · 1,673 · 4,429 · 1,631 **Seite 135:** 5,304 · 18,627 · 3,321

INHALT